故郷を想ふ

森脇久夫

南方新社

若き日の森脇久夫

敏弘への手紙裏に書かれていた絵（昭和 21 年 12 月 1 日付）

森脇久夫、妻すみゑ、長男久満（左から）。2005 年 4 月 10 日撮影

義一宛の手紙裏に書かれていた絵（昭和 21 年 12 月 1 日付）

まえがき

森脇久夫は１９４４年2月、21歳で歩兵第五十一連隊に入隊した。同年3月に第百五十一連隊に転属し、同年5月にウ号作戦（インパール作戦）に従事した。

太平洋戦争で最も無謀な作戦と言われる「インパール作戦」はイギリス軍の拠点だったインド北東部のインパールを攻略する計画で、森脇が現地に赴く2カ月前の同年3月に決行された。ＮＨＫ津放送局の番組「戦争証言」によると、津市で編成された第百五十一連隊はインパール作戦の補充部隊として戦線に投入されたという。

森脇が作戦に参加して2カ月後の7月には退却命令が下され、その過程で多くの兵士が亡くなった。死傷者は7万２０００人に上る。森脇はその後もビルマ（ミャンマー）で作戦に従事し、45年3月には右足を負傷。敗戦後は収容所で2年余りを過ごした。帰国を果たしたのは47年7月だった。

本書には森脇が残した22通の手紙を収めた。家族宛ての手紙が大半だが、隣組など地元の仲間に宛てたものもある。

「詩集　面影」と題された一冊には次のような文言が書かれている。

「屈辱の中で運命を共にした人々の詩歌集として」

森脇はどんな社会を望み、そして、生き抜いたのだろうか。

解読できない部分もあり、文意が不明瞭なところもある。

その点はご了承いただきたい。

２０２１年１月

故郷を想ふ——目次

凡例

一、原文には句読点はないが読みやすいように句読点を入れ、適宜改行した

一、難読字にはルビを振った

一、読みづらい旧字は常用漢字に改めた

一、文章中の■は解読不能を示す

一、【　】の日付は、消印または文末の日付

故郷を想ふ

装丁　オーガニックデザイン

第一章　出征前

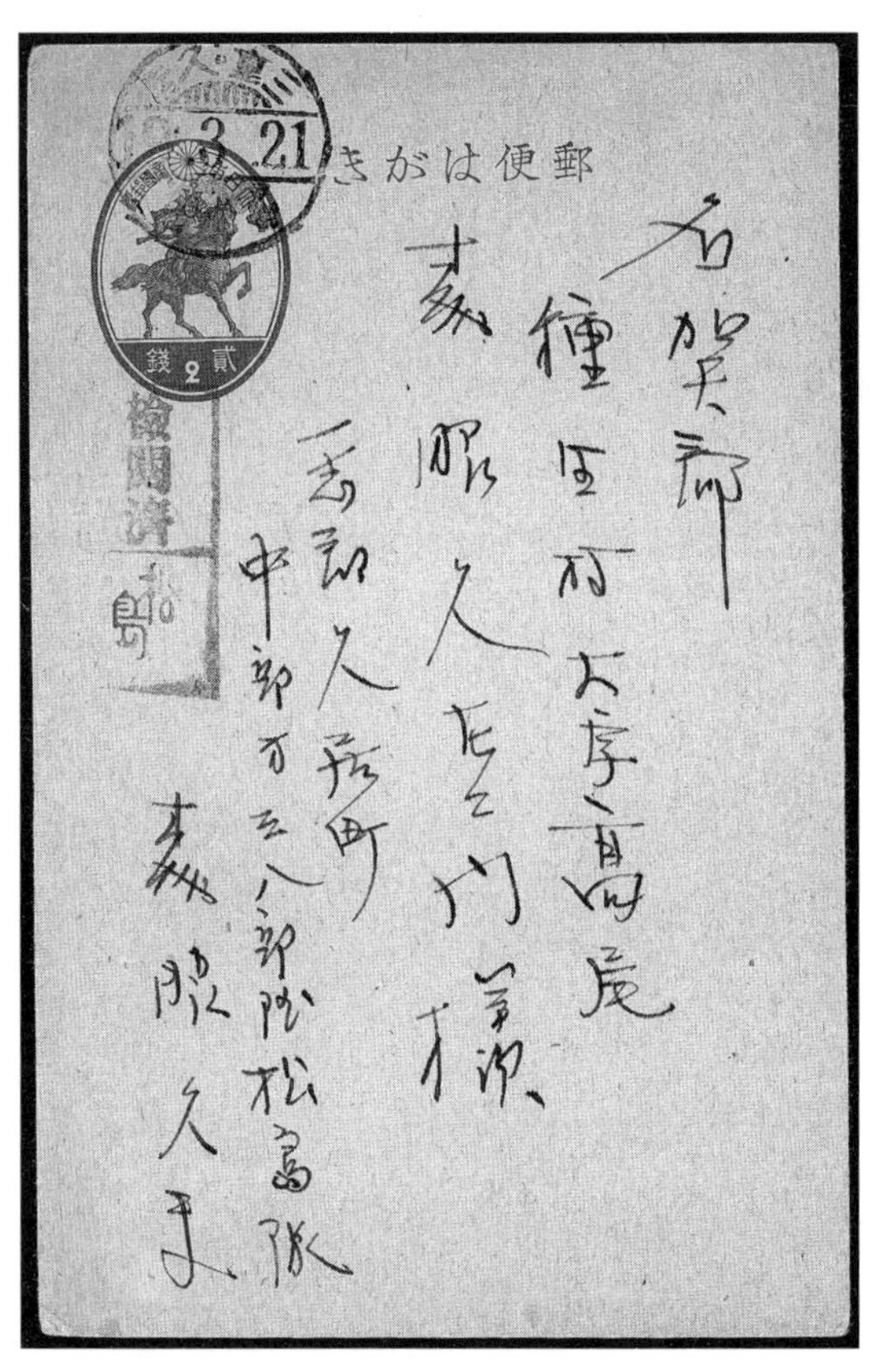

久左工門宛のハガキ（昭和 19 年 3 月 21 日消印）

久左ェ門宛　昭和19（1944）年

大ぶ春らしき日指(ママ)となりました。
家中皆な元気でやって居ます可。
自分も以来、至極元気。軍務に精進して居ます。
武男さんが帰還せられたなら、自分の元気さも聞いてくれた事と思ひます。
近隣の皆様にも宜敷くお傳へ下さい。
お父さんの様子は如何ですか。
陽春と共に快方に向はれて居るものと思って居ます。
ではお元気で張り切ってやって下さい。では。

【昭和19年2月27日】

啓
其の後、皆元気で居る事と思ひます。
自分も亦至極元気の故、御放念を。
去る正月は相当の積雪だったそうですが、炭焼には困った事と思ひます。
ここから見る山々も嶺に雪が見られます。
だが、寒さは大分和んで来ました。
此度の■以来、一ケ月夢の様に去った日々を思ひ返して益々無事を誓って居ます。
さようなら

【昭和19年3月10日】

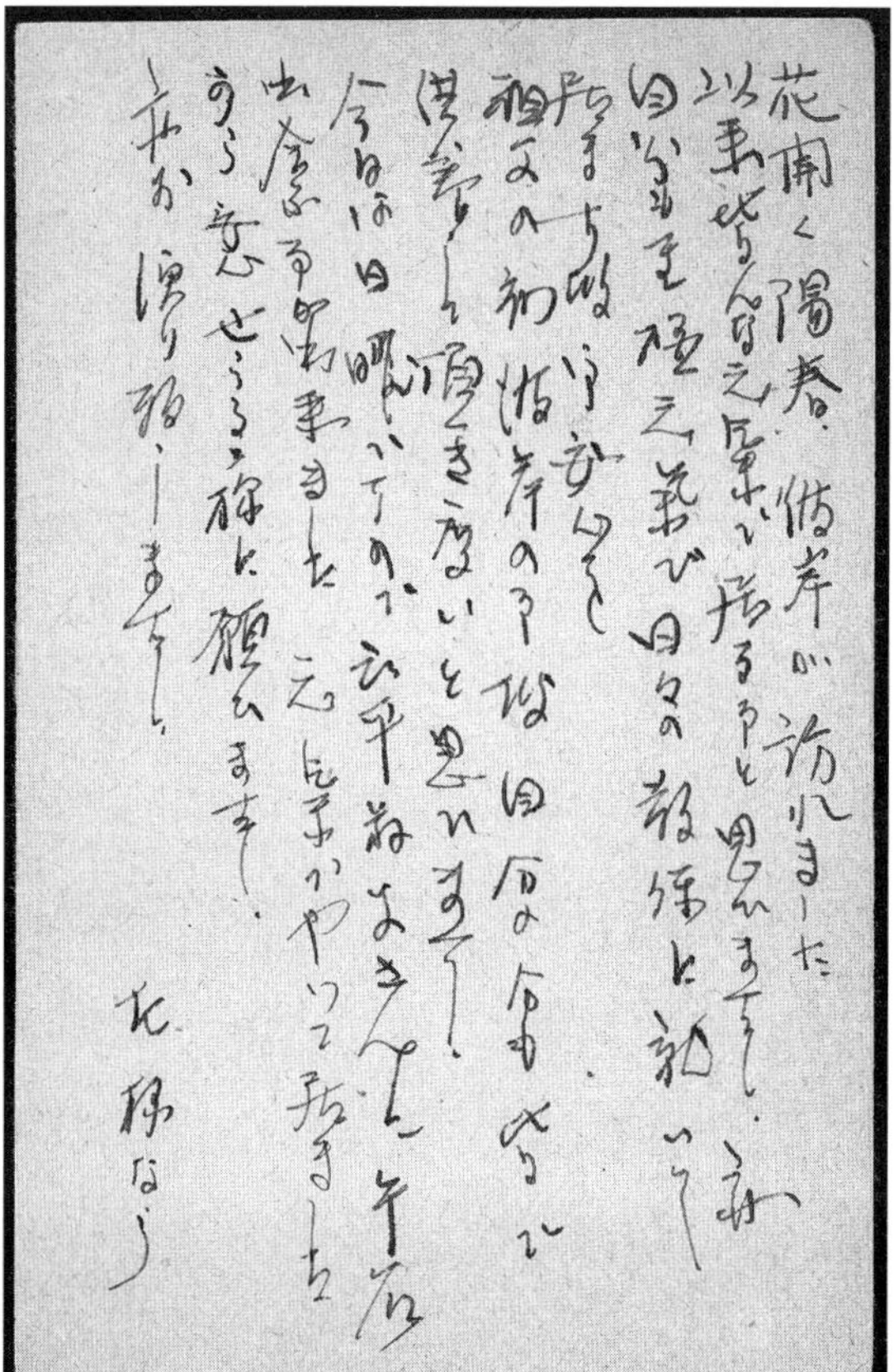

久左エ門宛のハガキ（昭和 19 年 3 月 21 日消印）

花開く陽春、彼岸が訪れました。
以来、皆んな元氣で居る事と思ひます。
亦、自分も至極元氣で日々の教練に励んで居ます故、御安心を。
祖父の初彼岸の事■、自分の分も皆で供養して頂き度いと思ひます。
今日は日曜日なので、広平叔父さんに午后出会ふ事が出来ました。
元氣でやって居ましたから安心せらるる様に願ひます。
亦、お便り致します。左様なら

【昭和19年3月21日】

拝啓
先日は突然忙しい思ひをさせて申訳ありません。
だが■に専ら面会の機会もあり、思ひ残すことなく出発出来て甚だ幸福です。
今日、宇品で写真を撮って置きましたから送ってくれる事と思います。
■■の写真師ですから、もし半月後に着かない様でしたら督促して下さい。
久方振りに今晩は布団の上で寝られました故、ふと最後の今晩、筆執って居ます。
皆様も元気で張切ってやって下さい。
自分も決して戦友達に負けぬ様に頑張ります。
では亦お便り致します。決して御心配なく御放念下さい。

久夫より

亦、少し暇があるから走書きする。
芳三さんに右の袢下と不用の書籍を預けてあるから、
今度面会でもする機会があれば受取って下さい。

義一にも言ふて置いたが、
今不用として残しておいた様な参考書は入営の時は持って来ない方が楽だよ。
この便箋も慰労にもらったものだ。
一つ星でも立派な帝国軍人として恥しくない働きをしたいと思って居る。
もうすぐ船の上だ。今迄の事が夢の様だ。
■■櫻が花咲く頃は目的地に着いて居る事でしやう。皆様方も元気でやって下さい。
こちらの事は御心配なく。近隣の人々にも宜敷く御傳へして下さい。
お父さん宅丈しか便りは書いて居ませんから。
では亦。
いくら書いても限りがありませんからこのくらいで置いて置きます。
銃後完璧の護りに専心下さい。

【昭和19年3月】

役種 現役
兵種 歩兵
特業又ハ特技能 適任証書
本籍族称 三重県名賀郡[illegible]村大字[illegible]七番屋敷
留守担当者ノ住所氏名 本籍ニ同ジ 父 森[illegible]門
位階
勲等功級
官等級
昭和一九、二、一五 二等兵
同 一九、八、一〇 一等兵
同 二〇、三、一 上等兵
同 二〇、六、一 兵長
同 [illegible] 伍長
氏名 森[illegible]夫 大正[illegible]年[illegible]月[illegible]日生
死亡
刑罰
履歴
昭和十九年二月十五日現役兵トシテ歩兵第百五十四聯隊補充隊第二機関銃中隊ニ入営○同日
三月二十五日歩兵第百五十一聯隊転属○同日第三機関銃中隊ニ編入○三月二十八日宇品
港出発○四月十六日昭南港上陸○五月五日
泰緬国境通過○五月五日至九月三十日
ウ号作戦[illegible]態勢移行、[illegible]号作戦参
加○同十月一日至昭和二十年一月十日盤作戦
参加、○同一月十一日至三月二十八日「イラワヂ」
河畔並ニ「メークテーラ」附近会戦参加○同[illegible]日
二十八日至四月十三日「シャン」洲及「ミヤ」沿線
方面[illegible]作戦参加○四月十三日至五月十一日
傷名「右下腿軟部貫通銃創」ニ依リ「ア[illegible]
セ」第二野戦病院ニ入院○五月十二日部隊追及
○同六月二十一日至 月 日 [illegible]作戦
参加○昭和二十年九月二十日ヨリパヤジー及ラングーン
地区ニ於テ英軍作業ニ従事○昭和二十二年七月七日
ラングーン港出帆 月 日 上陸
同 月 日 除隊

入隊から除隊までの経歴が記された書類

徴兵検査終了記念に名張校講堂正面で撮影された写真

拝啓

懐しき兵舎を去るに当り筆持って居ます。
愈々（いよいよ）、希望通り前線に出らるる身の栄誉を■ふ事が出来る様になりました。
別れて以来早や一ケ月余。桜の花を見ずに去る事となりました。
丁度桜の花の如くに潔き良き散兵線の花と散りますから御安心下さい。
最早面会の機会もない事と思ひますし、
いづれ亦、目的地に着きましたら早速お便りいたしますが、
今しばらくは御無沙汰になる事と思ひますが、決して心配しないで下さい。
身体の方は以来、益々壮健です。
如何なる土地に行っても、必ず人後に落ちない働きが出来る事と確信します。
祖父の墓参も出来得ずに出発するの丈が残念ですが、
屹度（きっと）、祖父も許してくれる事と思ひます。
自分に替って供養忘れずにして下さい。
部隊は昇さんの居る部隊に■■なりましたから、
亦、近々の内に出会ふ事が出来る事と思ひます。

此の手紙、芳三さんに頼んで出してもらふ事にいたしますます事から、
亦くわしき事は芳三さんにでもお出会いの折聞いて下さい。
兎に角、御心配のない様に皆な仲良く働いて下さい。
では、忙しいので乱筆ですがお許しを。
皆の御元氣の程を祈ります。
おばあさんにも宜敷く。

父へ

広島市若神町40大町屋旅館にて

久夫より

【昭和19年3月】

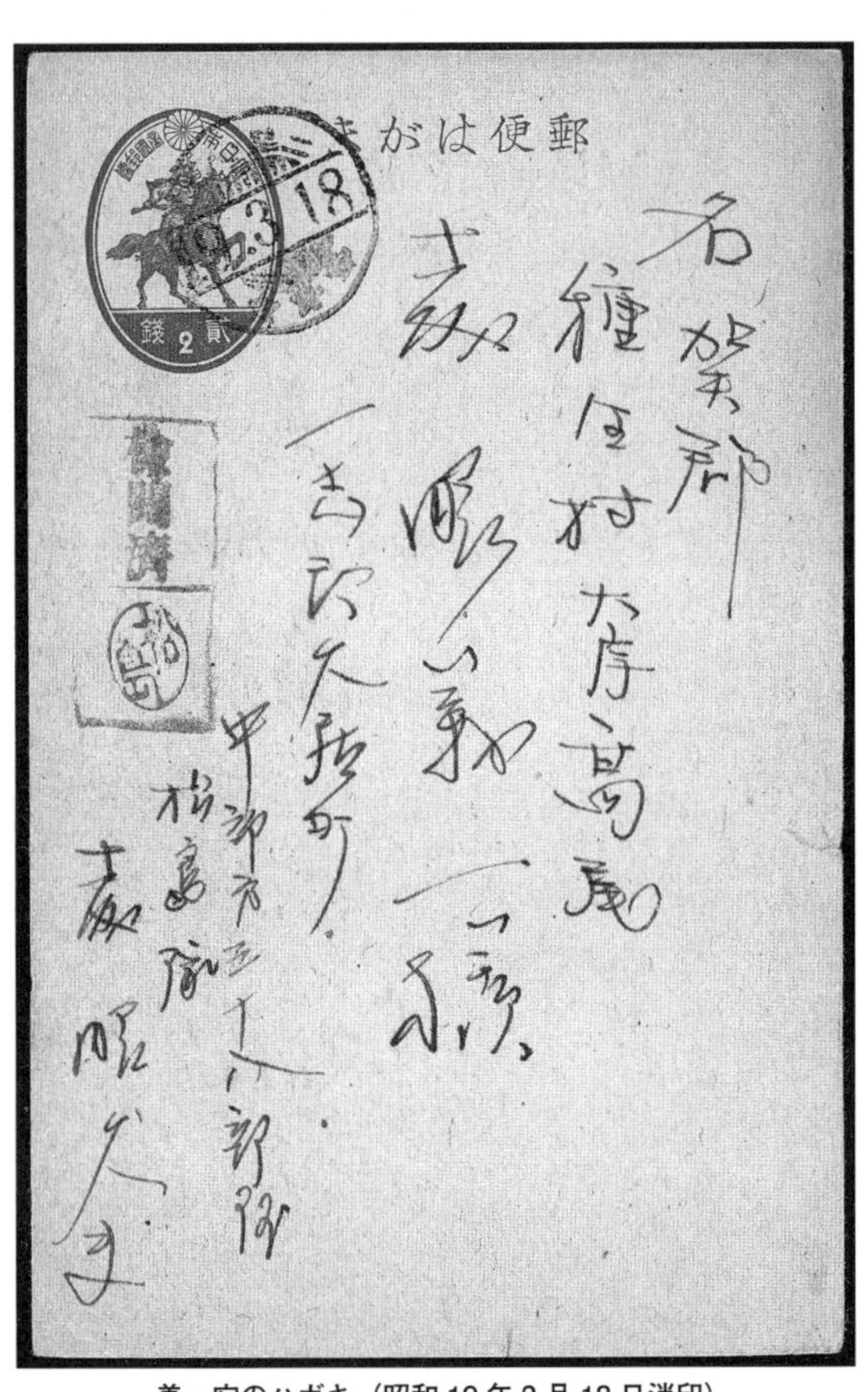

義一宛のハガキ（昭和19年3月18日消印）

義一宛　昭和19（1944）年

啓

皆な元気だとの便りに接し、嬉しく思ひます。

兄も以来、元気でやって居るから安心せよ。

良く学校で勉強して置く様に希ふ。共に頑張ろう。亦、便りする。

今日はこれ迄。家中の者に宜敷。

左様奈良。

おじいさんの様子、如何？

【昭和19年2月21日】

弟よ、お前もこんな兄の様に悔む事のない様に孝行して置く様にせよ。
兄は班長殿にもお話ししない目算だ。
せめて、基礎教育丈でも無事に終て、
そして一人前の兵となってから、許されるなら墓参りが致し度いとも思って居る。
だが、兄はそんな甘い考へは持って居ないぞ。
弟よ、元気で兄の分も頑張る様にせよ。妹達には亦、後で便りする。
お前から宜敷く傳へて置いてくれ。今日はこれぐらいにする。
皆なの者に宜敷お傳へ下さい。では今日はこれ迄。亦、お便りする。
さようなら

兄より

弟へ

【昭和19年3月2日】

一寸長い間便りをしない。今日は出そうと思って居ると、矢先に書簡を達すとの報せだ。

事務室に至る郎からの便りだ。楽しく讀んだよ。元気で居る由何よりだ。

兄も益々元氣旺盛。来るべき戦線に夢至せて日々の教練に心身を鍛へて居るから安心せよ。

大分暖い日が續くね。十日とは苦しかった事と思ふが、良い楽しい思出となるよ。

お餅やするめ等の支給品を記念日に送ったよ。

精々体力を養成して置く様にせよ。

体力が何より必要だ。大いに鍛錬して来るべき日に備へよ。

亦、勉強も必要だぞ。兄は今になってもっとやればよかったと思出して苦苦しく居る。

出来得る限りやって置け。未だ桜も盛だとの事■■■■

営内の水仙の花が昨日咲いて居るのを見付けたよ。大分暖かいね。

こちらは野にはつくしが顔を出して居るぞ。

少し軍服姿も身に付いた事だと思ふ。

何も心配は不要だ。安心して準備に励む様に。

青年団も亦、少人数で何かと忙しい事と思ふ。

兄も一人一人に未だ便りは出してないが、皆に宜敷く傳へてくれ。

もうすぐ点呼だ。では今日はこれ迄。
亦、近々に。さようなら

【昭和19年3月18日】

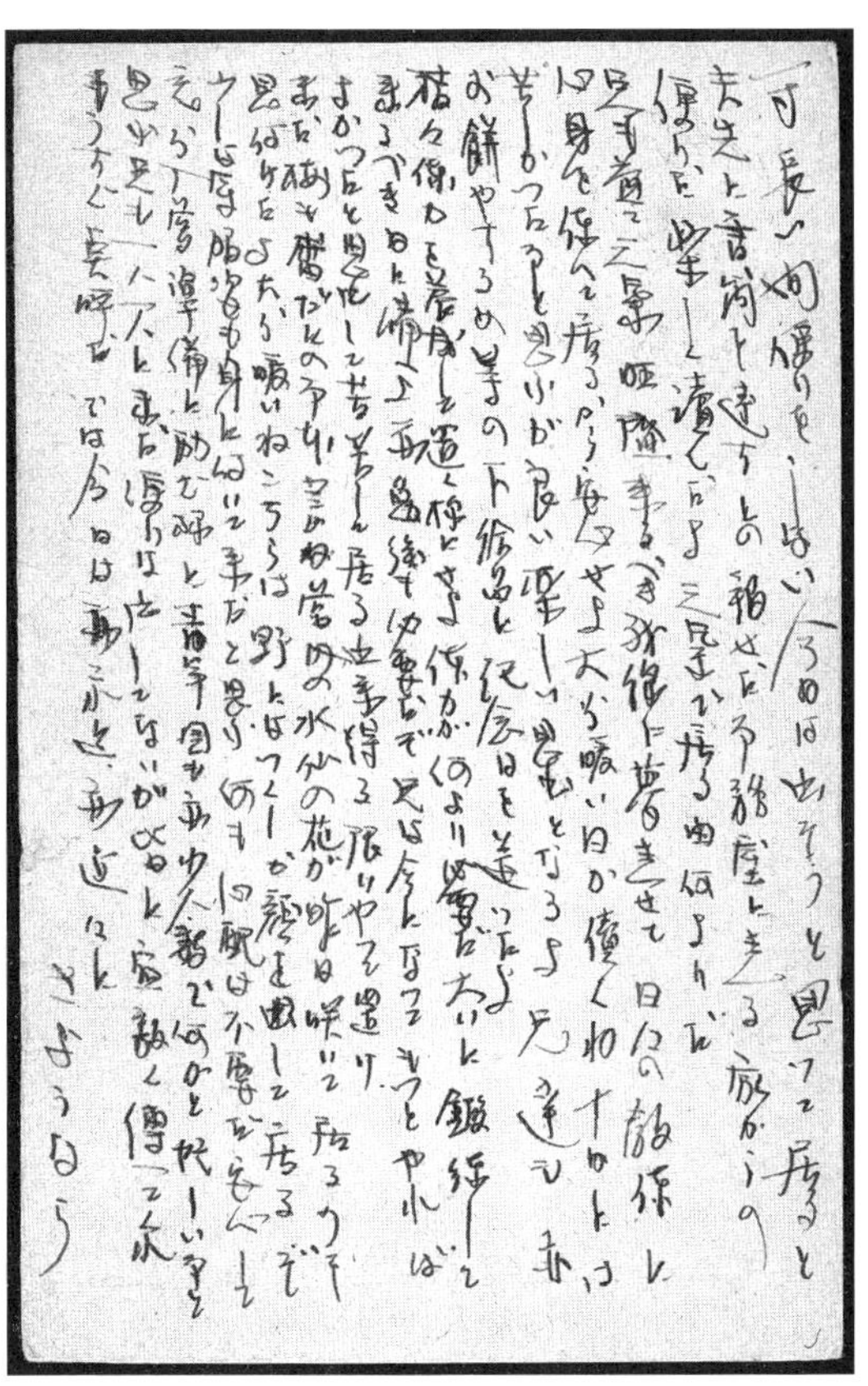

義一宛のハガキ（昭和19年3月18日消印）

出征前に撮影されたとみられる写真

第二章　出征後〜収容所生活

昭和20（1945）年

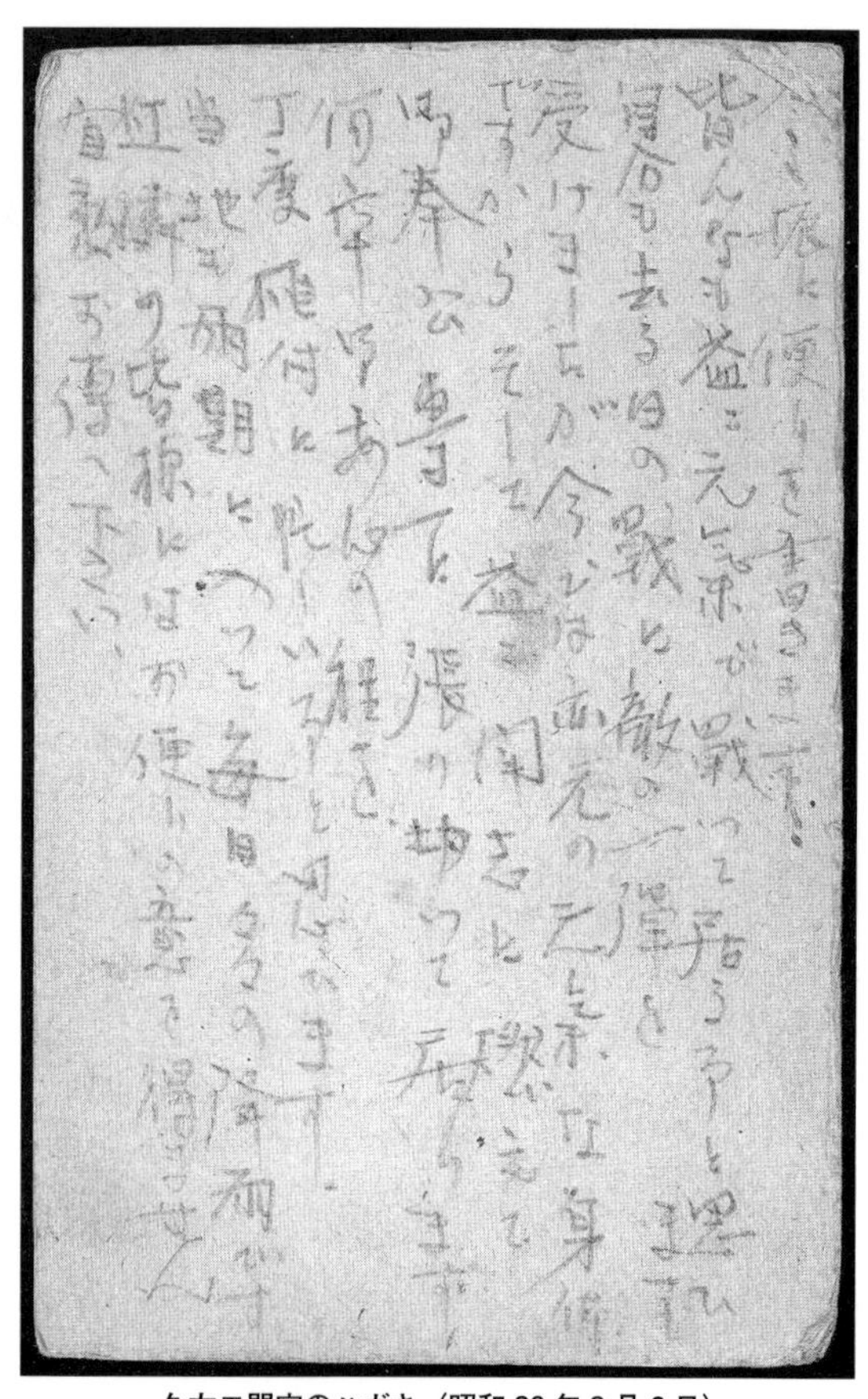

久さ振に便りを書きます。
皆んなも益々元気で戦って居る事と思ひます
自分も来る日の戦と敵の一弾を[illegible]
受ける日が今では元の元気な身体
ですから、そーして益々闘志を燃[illegible]
御奉公専一に張り切って居ります
何卒ごあんしんの程を[illegible]
丁度飛付と思[illegible]ます
[illegible]朝につつて毎日夕々の御祈願[illegible]
当[illegible]皆様にはお便りの意で得させん
宜敷お傳へ下さい、

久左エ門宛のハガキ（昭和 20 年 8 月 6 日）

森脇久左エ門殿
久し振に便りを書きます。
皆んなも益々元気で戦って居る事と思ひます。
自分も去る日の戦に敵の一弾を受けましたが、今では亦、元の元気な身体ですから。
そして、益々闘志に燃えて、御奉公専一に張り切って居ります。
何卒、御安心の程を。丁度、植付に忙しい事と思ひます。
当地も雨期に入って毎日々々の降雨です。近隣の皆様にはお便りの意を得ません。
宜敷お傳へ下さい。

ビルマ派遣第一〇〇二三部隊一見隊　森脇久夫

【昭和20年8月6日】

拝啓

皆様御健に正月を迎へられた事と信じます。

今度病院船で帰られる■■■■■■■■黒田隆（■■）に

此の一言をお願する事に致しました。

小生の事に関しては何かと御心配を掛て居る事と信じますが、何事も運命でしやう。

何卒、御放念の様を希ひます。

八月二十日付父上よりのお便り、去る十二日着きました。

皆様の御無事を聞き何よりと㐂(よろこ)んだ次第でありますが、

近隣及び親戚等の事、不明にして安じて居ると倶(とも)に様子を知り度いと思って居ます。

軍達、御通知■■■。

昨夜の事、南方まで太平洋方面、引揚完了及聯隊の引揚協定成立のニュースを聞きました。

東南アジヤの事に関しては何んの事も放送されず落胆した次第ですが、

その中に何んと可無事と信じつつ、運命と諦めて時期の到来を待ち度いと思ひます。

現在の生活及私の事は黒田さんが良く御承知ですから、何事■■■聞いて下さい。

呉々も御心配なく。皆様の御壮健でお暮の程を祈ると共に、一日も早き再会の日を祈りつつ擱筆致します。

十二月二十日　敬具

父上殿

久夫拝

ビルマ・ラングーン・コカイン　第五三師団第一五聯隊第三機関銃中隊

【昭和20年12月20日】

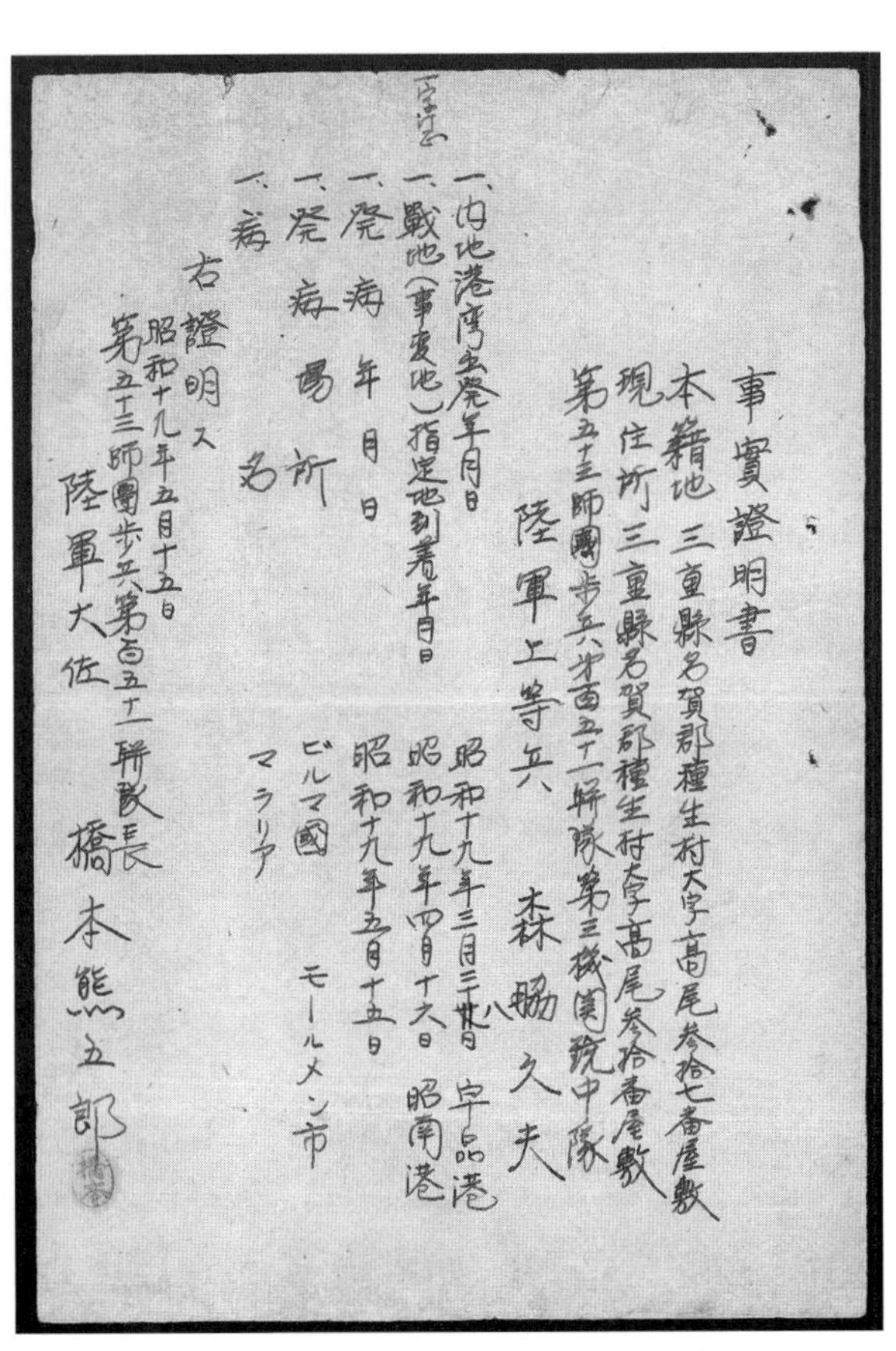
事實證明書

本籍地 三重縣名賀郡種生村大字高尾参拾七番屋敷

現住所 三重縣名賀郡種生村大字高尾参拾番屋敷

第五十三師團歩兵第百五十一聯隊第三機関銃中隊

陸軍上等兵 森脇久夫

一、内地港湾出発年月日 昭和十九年三月二十八日 宇品港

一、戰地（事変地）指定地到着年月日 昭和十九年四月十六日 昭南港

一、発病年月日 昭和十九年五月十五日

一、発病場所 ビルマ國 モールメン市

一、病名 マラリア

右證明ス

昭和十九年五月十五日

第五十三師團歩兵第百五十一聯隊長

陸軍大佐 橋本熊五郎

一字訂正

マラリアを発症したことが記されている証明書

昭和21（1946）年

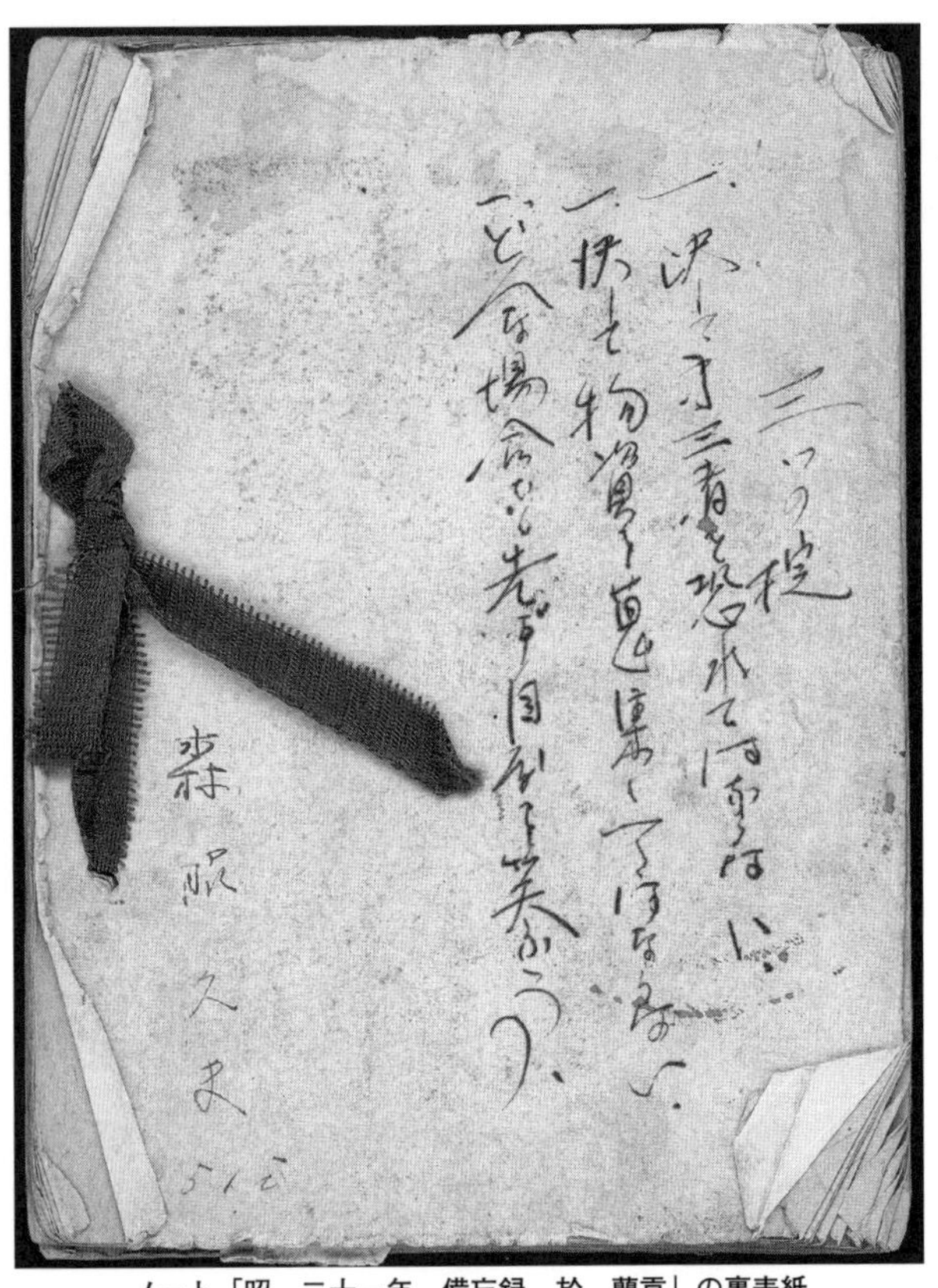

ノート「昭、二十一年　備忘録　於　蘭貢」の裏表紙

三つの掟

一、決して第三者を恐れてはならない

一、決して物資を蒐集してはならない

一、どんな場合でも先ず自分を笑ふ

（ノート「昭、二十一年　備忘録　於　蘭貢（ラングーン）」）

拝啓

桜花■■綻びる候と存じ■を家や之■■■■■■■■■■安心致し居ります。

私も現在の■■■■■■■■■■労務に服し居り■から何卒放念の程を。

同郡の■兵一同の書簡にて御覚の通り、

今回の内地までの引揚船■■■する事を許されましたから近況通知致し

本年三月に■■再開せられし■■船に依る輸送も遅々たる旨として、

移送の時期等に関しては何ら発表之なく、非常な危惧、不安に駆られて居る■■■■。

だが四、五月中に一万数千名が日本船に依り輸送される由のニュースが発表されましたが、

吾々の部隊にては乗船の可能性なく、

到底五月迄には帰還出来難い状況に置かれて居ります。

我々の部隊の復員序列より見ると最後に近く、

大部分が帰らない事には番が来そうにありません。

若し、吾々が帰ったとしても未だ■■残る人もある■■ですから、

何卒、復員促進運動には全幅の援助と協力を惜しまないで下さい。

御承知の通り、当地は雨季乾季の差甚だしく、乾季は一度の降雨のなく、

酷暑その極みに達し、雨季ともなれば連日の降雨なのであります。
こうした悪條件の地に於ける■軍作業の労苦は一通りではないのであります。
私達としてはこうした泣事を■すは
非常に心苦しく亦、御心配を掛ける事も承知しては居りますが、
決して無用の心配なき様にして下さい。
雨季にも早や■度、
決して吾々の現在迄の経験から見て身体の方には専ら自信を持って居ります。
何事も運命なのでしやう。
時■■の■刻来迄頑張る目算ですが、
要するに内地からの迎船の如何に吾々の復員の鍵が握られて居り、
亦■くせしめる事は■民の■■■待つ外ないとも信じます。
復員に関する運動にも参加せられると共に
地方有力者の■■を希望する■■■であります。
どうか元氣で仲良く暮して下さい。再会の一日も速ならん事を希いつつ。

追伸

先般、義一よりの便りに高尾■■氏の消息に関する問合せがありましたが、こちらでは判り兼ねますのは、終戦する時ビルマには居りませんでしたから。工兵隊なれば、或いはニライ辺りに居るんじゃないでしやうか。

当地も昨年は工兵隊は一人も帰って居ない状態ですからと伝へて下さい。

尚、奥田多君にお手紙拝見したる旨とお礼を伝へて下さい。

四月三日　早々

森脇久夫

父上殿

久夫君は大変悲観して書いて居りますが、

今の処、本年末の予定で、最悪の場合でも来春より先になる事は無いと思って居ります。

何卒御安心下さい。

聯隊長　西田少佐

【昭和21年4月3日】

拝啓
緑も育まれる梅雨前の良い気候の此の頃だろうと思ひます。
植付前の忙しさを前に種々お骨折りの事と思ひます。
私しも度々便りも出し得ず（不本意乍ら状況之を許さず）お許し下さい。
戦争中も又、停戦後の現在も至極元氣です。
体重も16貫は維持して居ます。入営当時の様な姿で居ますから何卒御安心下さい。
皆様も御無事の事とは信じて居ますが、
■■以来少しも様子が解りませんので心配して居ります。
お祖母さんもお元氣の事でしやふ。お父さんから御心配のない様にお話し下さい。
近隣の方々や叔父上や友達等にも、
こちらからは一度も便りはして居りませんから宜敷お傳え願上ます。
書き度き事も種々御座居ますれど、之迄で止めます。
何卒、御元氣で頑張って下さい。　敬具
久左エ門殿　21年5月28日

弟妹へ
皆んな元氣な事でしやう。兄さんもづっ（ママ）と元氣で居るよ。

義一さんの事丈が心配なのだ。何をして居るか案じて居る。

元氣でこの便りを読んでくれる様だったら非常に嬉しい。

戦いは終わった。だがお前達の生活は変わって居ない事と思ふ。一生懸命勉強する様に。

ゆりも卒業以来家に居るだろうが、兄の分も手傳ってくれ。

ビルマは今雨期だ。毎日梅雨の様な日が続く。

美しい緑の森、そして赤や黄の彩やかな花が咲き競って居る。

だが矢張り、家の前から眺める様な美しさがないよ。

懐かしくこんな事等想ひ浮べつつ書いて居るよ。今年も桜は美しく咲いた事だろう。

敏弘は何をして居るかね。矢張り元氣で居るだろうがお隣の子供達と仲良くするんだよ。

じや、皆んなで楽しく暮らす様に。

兄より　さようなら　１９４６・５・28

【昭和21年5月28日】

Anneure 'C' to GHQ SEALF letter BA/AG1/2011/1.
dated ..9 May.'47..

South East Asia JSP Working Pay Credit

PERSONAL ACCOUNT CARD

NAME A D PERSONAL DETAILS.
官氏名 陸軍伍長 森脇久夫 (CPL. MORIWAKI HISAO)

MONTH	NET CREDIT £	s	d	BALANCE £	s	d	MONTH	NET CREDIT	BALANCE
6		4	3		3	1½			
7					3				
6		3	1½		3	1½			
7					3	1½			

Certified that the final credit due to CPL. MORIWAKI HISAO
being repatriated from South East Asia is £-3s 1½d
(Amount in Words) three shillings one and half pence
Date 3rd/July/47... Signed.......
Comd JSP Camp.

British Authorities

Countersigned..........

J.S.P. CAMP. AHLONE.

東南アジア降伏日本軍人給与票（昭和22年5月9日付）

拝啓
盛夏の候、皆様御元氣で。無事植付も終わりの事と存じます。
私の事に関しては種々御心配を掛けて居る事と存じます。
停戦後■■で二度の便りを書く丈です。
亦、私も内地出発以来一通の便りも受け取り居らず、
二年余の年月の郷里の変化は何もわかりません。
被害地の模様其の他をラヂオや其の他の情報で随時判明して来ました。
だが伊賀には何んの被害もない事と其の点は安心して居ります。
去年の不作や、今年の稲作の植付、順調に終った事を知って悦(よろこ)んで居ます。
大体山々に囲まれた清い山川の流れる故郷には何んの変化もない事でしやう。
ただ人々の敗戦の故に荒み切った心が描き出す様々の秩序は
或ひは乱れて居るのではないかと心配して居ります。
(紙数が多くなりますから裏面にも書きます)
最早私の事も亦、船で帰った先発の人や、第一会の書面等で御承知の御事と存じます。
何分■■■■■そして、終戦後の収容所生活等々の模様はお報せする事は出来ません。

それらの事柄はご想像におまかせ致します。

もうすぐ内地帰還が出来る物と夢見て来た吾々の淡い希望も、
現在に至って覆されて終ひました。

今書いて居る手紙を託する船、之が最後の船なのです。

吾々は労務隊としてビルマに残留を命ぜられたのです。

今のところでは何日帰還出来得るか見通しもつきません。

噂に依れば、今年末か来春の様に言れて居りますが、それも確実な根拠はありません。

苦々しい敗戦の現実をまざまざと見せ付けられた氣がします。

之は何んにもならない現実なのです。

私の現在の心境はただ健康を保持し
素直な氣持を帰還の日迄維持する丈で精一ぱいな氣がするのです。

之なことを、いや泣言の様な事を書いて終ひましたが、何卒御心配下さらないで下さい。

熱帯の気候にも二年余を経た現在では耐へ得る自信があります。

此度たとへ帰還が何日になろうとも、元氣でお逢い出来得る事を信じて居ます。

次に村出身の人々の消息をお報せ致します。

(之等は出発者の内地到着に依り御承知の事と思ひますが、

許された範囲内でお報せ致します）
現在当収容所には私一人丈です。他には誰一人として居りません。
先ず戦死の方々は、種生の東一殿、川上、川竹義夫殿、
■■■は堀之内昇殿、老川、■■■殿、奥出の奥永久夫殿、
尚、入院中の中出の中本秀夫君と上出の奥田多君、稲生の上谷奈良夫さんが居りますが、
今の処何所に居るか又、最早内地に帰って居るか不明の状態です。

之以上の事は書けないのが残念です。

近村の方々の中では阿保の橋本梅之助さん一人が居る丈です。之の人とは同じ大隊でした。

尚、千種以来お世話になりました同中隊の新田の亀山軍曹殿も戦死されました。

長瀬の芝伍長殿も戦死されて居ります。

以上の方々の御遺族の方々にお会出来たら話して下さい。

では、お逢い出来得る日迄皆様お元氣で。

尚、長い残留生活を送る様になれば亦、文通も出来得るかもしれません。

早やく内地の便りの届く事を希って擱筆（かくひつ）します。　敬具

二十一年七月十六日　　久夫より

家内御一同様

追伸

同封いたします堀内様と隣組の皆様への便りお届け下さい。

拝啓

皆々様、御元気に御座居ますやお伺ひ致します。

私儀出発以来、一度の頼りも致しませず失礼仕り居ります段お宥し下さい。

■に今度一通の便りを許されましたから、一筆啓上仕ります。

留守中は何かと永々の間、種々御世話になる事と信じます。

今後共、倍旧の御厚情を奉願います。今頃は植付が終られ暑さも盛りの事と思ひます。

四季のない熱帯では何日も裸で過せます。

だが、今は雨季にて来る日も〳〵雨又雨の連続です。

太陽は一日中暈を被って居ります。全く南方呆のしそうな天候続きです。

美しい故郷の山や川は矢張り最も美しい物として今も私の眼に映って忘れ得ません。

敗戦の波は如何ですか。

どうか皆様、現在の苦難に負けず強く正しく生き抜いて下さい。

新しい民主国家の礎も■■からでしやう。

何日か再び皆様の前に帰り得るであろう日を楽しみに
現在の与へられた任務に励みます。
では皆々様の御健捷を祈って止みません。
七月十六日　敬具
隣組皆々様に

ビルマ國ラングーンアーロン収容所
第五十三師団歩兵方面五十一聯隊
第三機関銃中隊
森脇久夫

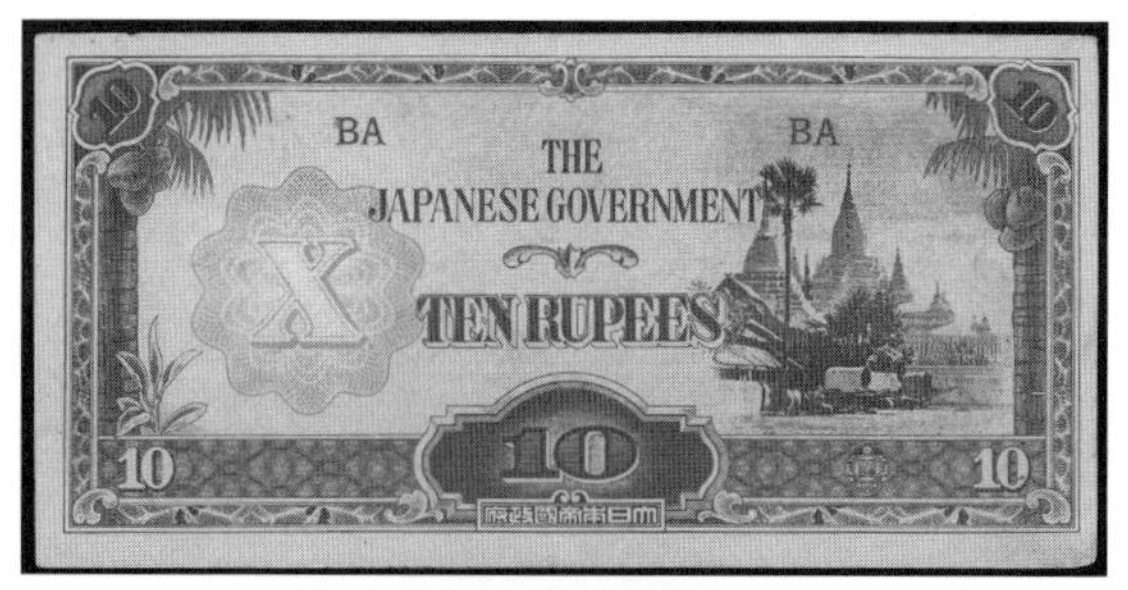

10 ルピーの軍票

弟妹へ
何んと言っても別れて見ればお前達のことは何かと思出される事が多い。

一緒に住んで居る時には別に何んにも思はない。これは余まり親しすぎる故だろう。

こんな氣持ちは皆同じだろうと思ふ。

ビルマにも子供は多い。小さな子供は皆可愛らしい。

現在の収容所生活では現地人と接する機会はない。

ただ往復の自動車の上から眺める丈だ。私達の弟に似た顔を見出しては独りで微笑むのだ。

先ずこんな事くらいの楽しみしかない現在だ。

文通が許されたら古い■■でも送ってもらひたい。

日本文の本等は全々ないのだ。全く活字に飢えて居る。

帰る日が一寸見当が付かなくなった。

兄が帰る頃は皆■■■と言ふよりも、
一人前になる頃になるんじゃないかと考へて見たりする。

兄も大分不孝な事も言ったと思ふ。お前達で兄の分も孝行する様に。

裏面に此の収容所内で作った詩の中から面白そうなのを拾ひ■■■書いて置く。

作者は皆んな兵隊さんなのだ。

〽ふるさとのこどものうた

一、落葉かさこそ　夢さめて
こっちもかるく　山の子は
今日も　とくから　■■に
峠行くかげ　陽もうるう

二、軒の雀に　起されて
鍬を片手に　野の子らは
けふも　とくから　畑仕事
畔の小道を　父とゆく

（以下畧）

「面影」

一、ニッパハウスに月影させば
遠いあの日の夢が散る
悲しあきらめ心に秘めて
淡い灯影にすゝり泣く

二、黒い瞳を涙にそめて
遠く仰いだ夫婦星
ねむの花散るパゴダの丘に
捨てた故郷の夢を見る

三、ビルマ娘の果敢ない恋は
空に輝く七ツ星
白い花咲くシャングル百合に
そつと着けます　唇を

四、金のパゴダに　風鈴ゆれて

詩集「面影」より

今日も吹くかな南風
遠いなるかな青空ながめ
歌ふ異国のセレナーデ
○船去りぬ一枚便りの今日いづこ
○船去りぬ故国に運ぶ我が息吹

じや　さようなら　元氣でね

【昭和21年7月16日】

拝啓
酷暑の折柄ですが、皆様御元氣御事と思ひます。
今日は丁度終戦一周年、ポツダム宣言受諾記念日で作業も全休です。
これで三度目の通信を許可せられ、
■しい内地では今日はお盆だなあと想ひ出しつつペンを持って居ります。
小生も当地に着いて以来、十ケ月近くなりますが、
此の■何一つ病氣は致した事がありません。
大分、熱帯の氣候にも馴れたのでしやう。
今雨季も恙（つつが）なく明けそうですから何卒御安心下さい。
この数日前懐かしい内地の便りがこのキャンプに訪れました。
皆、久し振のお便りに子供の様に㐂（よろこ）びました。小生もその一人でした。
分けても、七通も一度に着いて皆にうらやましがられた程です。
小生の最も安心した事は、義一の無事に復員して居る事と知った事です。
極東の情報を知って案じて居た小生、非常に嬉しく思ひました。
尚、■■■叔父さんや井上さんの方からもお便りを戴いて居ります。

一通限りの便りでお返事を出す事が出来ませんから宜敷御傳下さい。
尚、内地の状況等も亦今度の船で来た復員事務官の話等が傳へられました。
敗戦の祖国の姿に想ひを至せて氣は焦るばかりですが、どうにもならない事なのです。
有刺鉄線の構内に、汗と償の明暮を過ごしては懐かしい想出にふけるばかりです。
吾々の運命に関しては全く神様丈が御存知なのでしよう。
むしろ現地より内地の方がこうした情報にはよく通じて居る事と思ひます。
内地の便りが着いてから余計郷愁にかられる様になりましたが、
亦、それと共に新しい希望も湧いて来るのです。
■■■■■で楽しく静かに暮せる日の一日も早からんことを希求して居るのです。
亦、共に楽しく暮せるのもそう遠くないと信じます。
小生の事に関しては何ら御安心下さい。決して■■な事は致しません。
どんな状況下でもきっと強く正しく生きる術を忘れません。
小生には何時も美しい故郷の灯が胸に輝いて居ます。
今年の稲作は如何ですか。食糧の不足、これは最も人心を乱し悪化させるでしやう。
何卒、専ら増産に努力して下さい。
おばあさんはどうして居られますか。お元氣の事とは思ひますが何分お年ですから。

尚、小生の事に関しては何も心配のない様にお話し下さい。
では再会の日の近からんことを祈ると共に、御元氣で暮されん事を祈ります。

八月十四日　左様奈良　　　皆々様江

宵闇漸く迫る頃、点呼が終る。
一日の作業での汗を水浴に流して、これからが吾々の楽しい時刻なのだ。
三三五五、思ひ〳〵のグループに分れ喋々し想ふ。
トランプ、花札、碁、マージャン等に憂を忘れる。
自分の好むままに出来る時間なのだから、遊びつかれるに皆臥■■
最后（さいご）は楽しかった故郷の想ひ出話になってしまふ。
そしてきまった様に早やく帰りたいなあとなってしまふのが毎日だ。
入時消燈して一時からの納涼時間があるのだ。その頃、明日の勤務が割出される。
厭な作業だと、皆んなの顔が歪んで怒った様になって終う。
私たちの最もよく口に出るのは■■■■■■■■■■■■■■
畳の上で布団を被って寝■■■■■
子供の様なとりとめもない話しを飽きもせず繰り返す。

そして、
矢張り帰る話しになってしまふのだ。
一途に戦って来た吾々が、
終戦と同時に一度に■心が着いたのだ。
吾々の様子は
ぽつぽつ帰った人々から
傳へられて居る事と思います。
寒暖を感じる様な事もありません。
皆、安心の程を。
とりとめもない事を書いてしまひました。

【昭和21年8月14日】

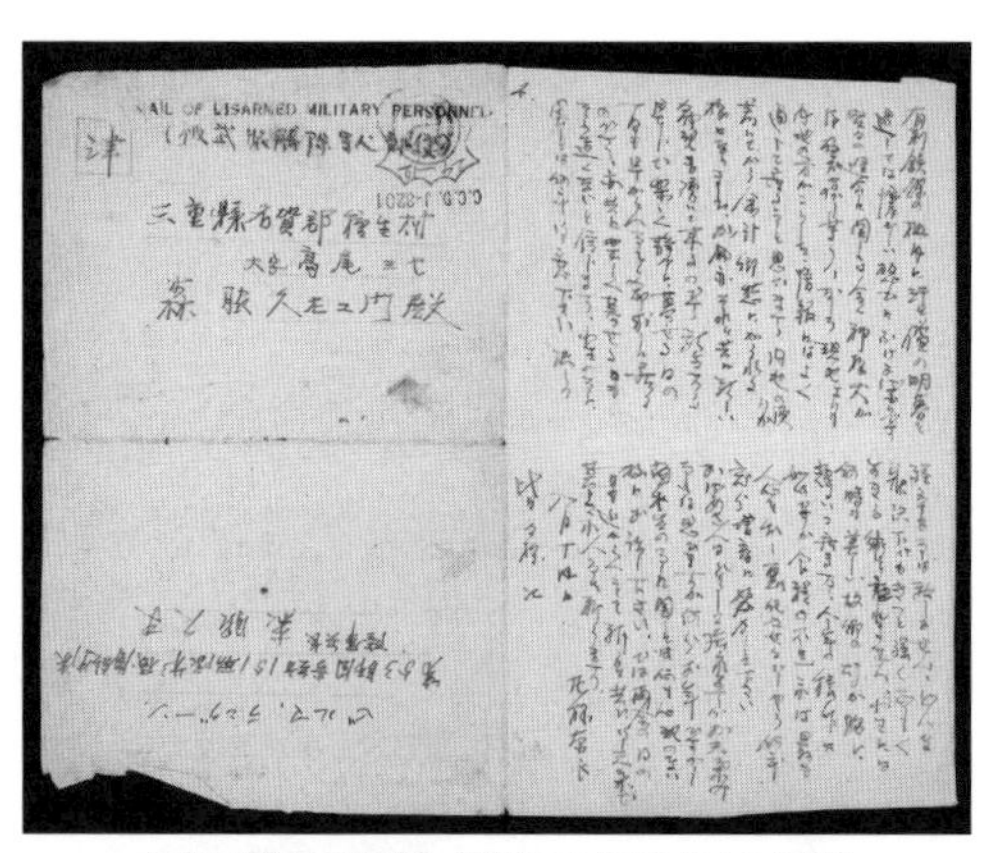

久左エ門宛の手紙（昭和 21 年 8 月 14 日付）

拝啓

此の度三度目の便りを許可されました。皆様御壮健の御事と存じます。

小生、其の后も引續き元氣にて日々を送って居ります故、何卒御放念の程を。

内地は初秋爽涼氣溢れる事と思ひます。

当地も季雨(マヽ)も上り乾季となり本格的な暑さが訪れて居ます。

夜も晝(ひる)も裸体で暮して行けるこんな氣候は現在の様な吾々の生活には倖せな事です。

先般内地の便を受取りましたが新しい■■■■はあまりありませんでした。

内地の状況等もラヂオなどで知る事が出来、

慌だしい世想の中で明け暮れる皆様方の苦労の■もお察し致し居ります。

何か月振かの便りですが、

余り書いては由もありませんし、亦、書く事もありません。

私達の運命は最早吾々の手ではどうにもならない事でありませう。

だが、私達の復員もそう遠い事はないでしやう。

近い内にお目に掛かれる事と信じて居ります。

其の時迄お互に健康に留意して働らきませう。

やがて内地も、亦、吾々も嵐の後の静けさが
訪れる事でしやう。
近所の方々にも宜敷お傳言下さい。
秋の取入に忙しい時候となって来ますし、
寒さも日増■■事でしやう。
何事御自愛専一の程を希望し擱筆（かくひつ）致します。
九月二十五日　敬具

久夫より

御一同様

【昭和21年9月25日】

昭和21年9月25日付手紙

拝啓
中秋爽涼の候と相成りました。
皆様如何候。取いれ目前に何かと多忙を極め居られ候事と存じます。
今度四度の便り許可なり■■便りみて
一通の■■にて■■■■■■■■■判り申さず候共、
日々御心配相掛け居る事を想いつつ、速に故郷に届かんことを念じつつ筆執り居り候。
小生■■戦中被弾致した事は、去年の夏の便りにお知らせ致し事にして、
最早御承知の御事と存じますが、現在一年半を経て再び化膿し来り切開手術を受け、
現在一ケ月余りに亘る病院生活を送り居り候共、決して心配して戴く程の事はなく、
下腿の事とて生活には不自由はなく、亦、痛む事も御座なく候。
軍医殿も帰る迄には美しく治るだろうと言はれ居り候。
復員の日何時になるやも判り申さぬ現在なれ共、元氣で帰り得る事と存じ居り候。
病床にあるとは言へ、聯合軍の病院と言ふには非ず、
同じ構内にして部隊とも毎日■■致し居り■事とし
何んの不自由も不安をも御在無くかかる事を書き申しては御心配を掛ける丈とは存じ共、

大した事もなき現在であり、私事以外話するを許されぬ現在にあれば、
書き送りは共、呉々も御放念の程を願上る。
■■つて家にありし頃に比ぶれば現在は非常に健康にして病氣一つ致さず。
皆から虜舎の飯が美味い方だろうと笑われるほど■■
村では今頃は柿が美しく熟れ、祭も後三日、運動会■等を想像しつゝ筆を走らせ居ります。
当地も此の頃は昼は相変わらず猛暑なれ共、夜明け方など冷を覚える程の頃には、
■■又ラングーンには霧が立ち籠る冬の訪れが近くだ。
向寒（こうかん）の砌（みぎり）、亦、多忙な頃、何卒充分御自愛専一の程を希上げます。
十月二十日　敬具

父上殿

久夫拝

追伸
御近隣の方々にも便り致し度く存じれ共、
それも叶はぬ現在。何卒宜敷御傳への上、御無沙汰お詫び致されお願上る。

【昭和21年10月20日】

啓

其の後健在なりや。亦、家中の者も皆変化なき事と思ふ。

義一も復員後づっ(ママ)と家業に従事して居る事と思ふては安心して居る。

今日病院船に依って便りを一通丈運んでくれる事になった。

今迄にも三、四会(ママ)出して居るが、着いて居るかどうかさへ判らない。

今度のは友軍の手で運んで呉るのだから大丈夫だと思ふが。

兄も元氣で作業に従事して居ると言い度いのだが、今の所もう百日近く入院して居る。

先般の便りにも書いて置いたが、戦闘間の負傷跡（足）が再燃、少々ただれた形はある。

だが決して心配には及ばない。その内に恢復（かいふく）する事だろう。

現在も大して日常の生活は困らない程度だ。

亦、病院船で帰る程でもないのだから安心あれ。

現在の所、余り不自由は感じて居ないが、
耐へ難い屈辱と窮屈な生活に甘じなくてはならないのだ。

敗戦の当然乃結果であり、今更云々する程の事ないのであり、
どうしてもなる様にしかならない現実ではあるが、

一日も早く帰り度い氣持で一ぱいなのだ。
限られた給与と定められた労役と束縛しられた自由から吾々の苦しみが始る。
又、復員の期日に関しても、今迄の交渉は総て失敗に帰して居る。
こんな情報はお前達の方が良く知って居る筈だ。
こちらにしても東京短信を聞いて居るに過ぎない。
十日だったか南方軍の復員は本年末か来春の予定なりと放送したが、
これも英軍は事実無根なりと取消して来た始末だ。
今の所、五里霧中の有様なのだし、危惧、疑念に駆られて居る。
まあその内に何んとかなるだろうと思ふが、
どうも性急な日本人にはこんな事は■■の■なのだよ。
もう終戦后一年以上にもなるんだからね。
現在の我々の収容所は、
ラングーン郊外のビクトリヤ湖畔のある地図を見てくれると判ると思ふ。
水浴びは毎日湖水に出る。
大体暑氣にも大分馴れて居るし、この頃は常夏のビルマにも冬の訪れが見えて、
霧の深い冷たい朝が訪れる様になって来たよ。

身体、その他大した変化も起らない。
南洋呆して大ぶ無感覚になって居るのかも知れない。
毎週土曜日には演劇もあり又、野球等もやって居るが、
一時的に淋しいことを忘れる丈だ。後は余計の味氣なさを味ふ丈だ。
「苦しみの中にありて楽しかりし昔を偲ふ程、大なる苦悩はなし」
とダンテの言あったと思ふ。
過ぎ去った日を考る事は現在の吾々には苦しい事なのだ。
だが、まだ兄は幸福だと思ふのだ。
時には死んだ戦友を羨やましく思ふ事はあっても、
矢張り生きて居たと言ふ事は倖だったたに違いないのだ。
現在のキャンプにはうちの村の者は一名も居ない。
最早■方から皈(かえ)った者も居るかも知れないが、郡内の者は相当に居るかね。
大体、お前達の知って居る者は一人も居ない有様だ。
こんな事を考へて来ると兄は幸運だったたと思ふ。
一日も早く帰って遺族の人達に知って居る限りの事を知らせてやるのが
生き残った者の務だと考へて居る。

祖母も元氣だろうか。
お年だから案じて居る。決して心配ない様、傳へてくれ給へ。
家の者に宜敷。弟妹仲良く幸福に暮されん事を切望する。
丁度正月頃に着くだろう。厳寒の砌（みぎり）、御自愛専一。
十二月一日
兄より
義一殿

追伸　近隣の人及び親類の方々へも宜敷傳言を。

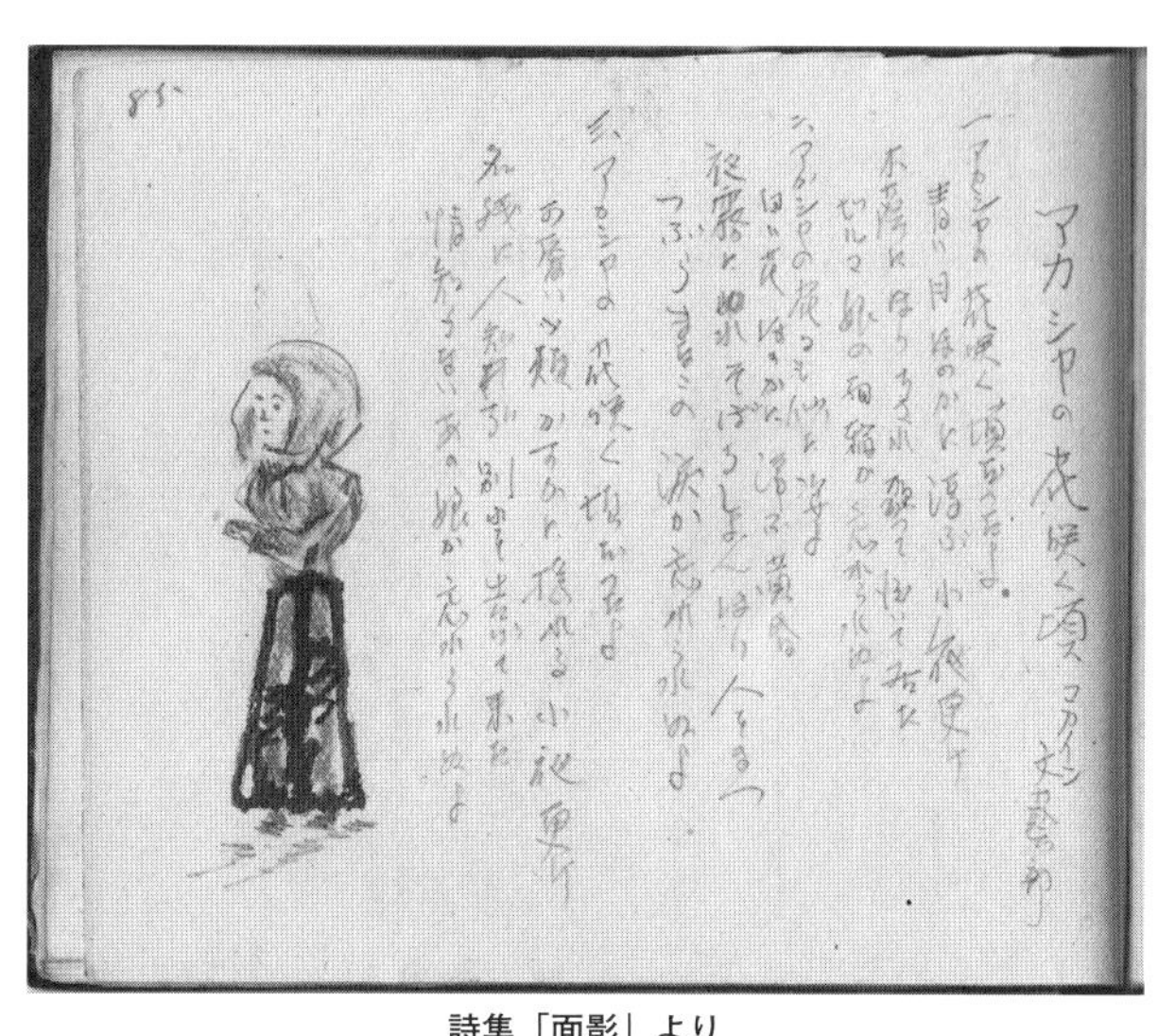

詩集「面影」より

としひろももうこんな字は
よめる年になっただろう
ひろ久も大きくなっただろう
兄さんも早く見たいと思ってゐる
このてがみがつくころは
ゆきだるまでも
造って居るだろうと考へてゐるよ
よくあそび、よくまなべとか
皆んな仲よくあそぶように
そしてよくべんきようするように
十二月一日　　　兄よりとし弘へ

【昭和21年12月1日】

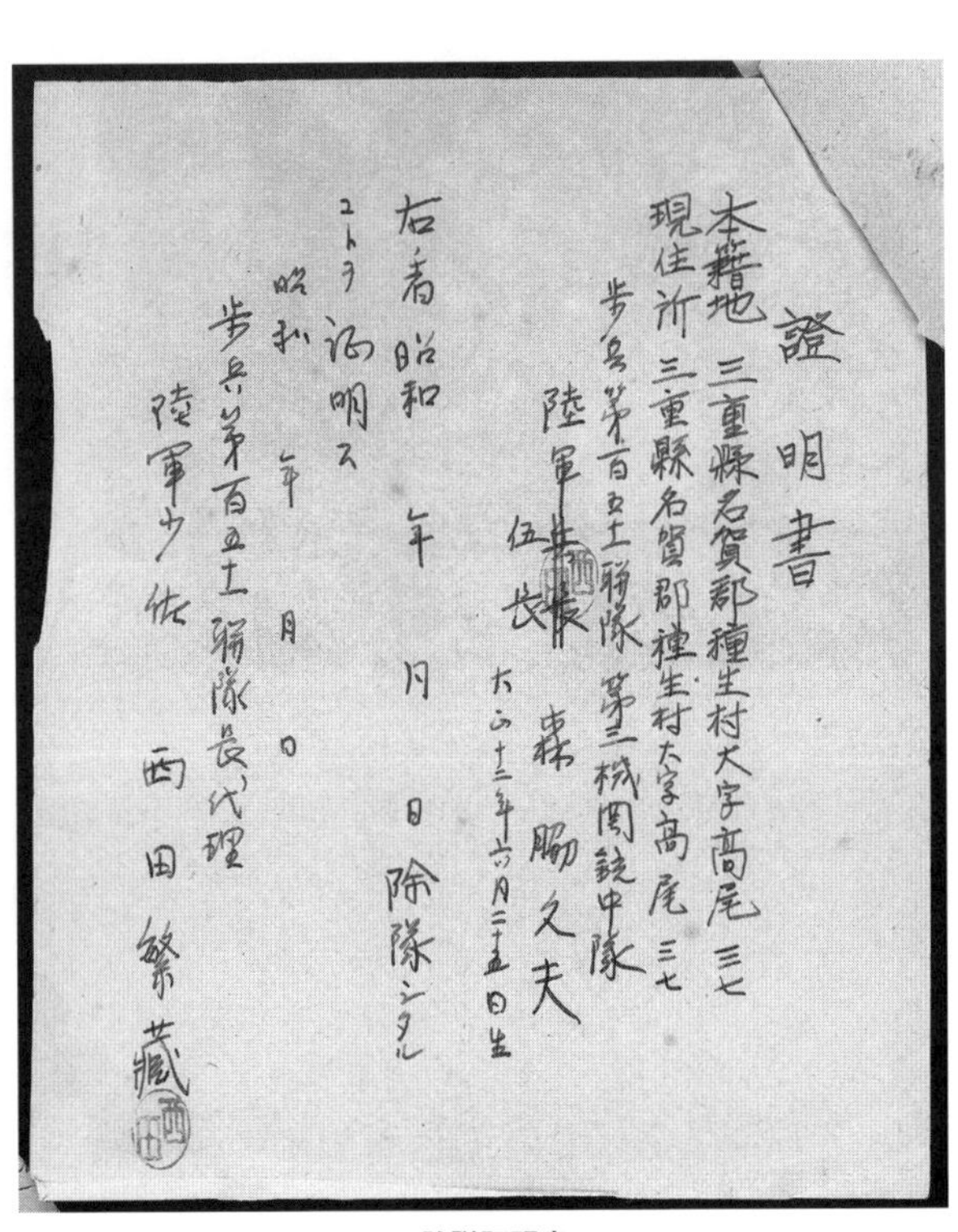

證明書

本籍地　三重縣名賀郡種生村大字高尾　三七
現住所　三重縣名賀郡種生村大字高尾　三七
歩兵第百五十聯隊　第三機関銃中隊
陸軍~~兵長~~伍長　森脇久夫
大正十三年六月二十五日生

右者昭和　年　月　日除隊シタル
コトヲ證明ス
昭和　年　月　日
歩兵第百五十聯隊長代理
陸軍少佐　西田繁藏

除隊証明書

昭和22（1947）年

拝啓
初春と相成りました。家内一同無事新春を迎へられたことと存じます。
去る十五日、第三回目の内地の郵便到着。
九月二十九日は■■■父上と義一よりのと久■よりの三通が一度に着きました。
変化なく皆無事の由、何より嬉しく拝見致しました。
だが外地よりの引揚者、近隣になき由、不思議に思いましたが、
■■なれば御氣の毒な事です。
小生等も虜囚の身を嘆いては居るものの、
在緬(めん)、三度目の新春を無事に迎へ得た事に感謝しなければなりません。
正月早々病院船で帰還せし
■■■■■■本町、黒田隆一郎氏に便りを依頼して置きましたから、
最早着いて居る事と存じますが、
私達の生活はこの人に聞いて頂くと総て判明する事と存じます。
私は未だ病床起居の身ではありますが、
近い中に全快する事と思ひます故、其の方は御心配なき様。

最早傷痕を止めるに過ぎませんから。
吾々の復員に関しても漸くに近きを感じられる様になり、
嬉しいニュースが出る様になりました。
之が実現すれば近い中に懐かしの郷里に帰り得る訳であります。
之等は内地の方でも判って居る事と思ひます。
私たちも暇ある限り、内地のラヂオを傍受して居ります。
先程も通知して置きました阿保町の猪上柿之助さんは嶋岡の遠縁だとかの問、
今日も便り着かず心配して居ましたから、着き次第一同お伺ひして置いて下さい。
同じ大隊内にて、様々御世話になって居りますから至極元氣にお暮らしですと。
昨年の稲作および馬鈴薯は豊年だった様ですね。食糧不足の折、有難い事です。
だが、内地は今冬は何十年来の酷寒だとか。
亦、関西方面の震災等に依り相当困難な冬を迎へて居る地方もあるでしやう。
その点、伊賀の山里じゃ心配ありませんでしょう。
私も療養専一に遠くもないであらう復員を待ちたいと思ひます。
皆んなもこの冬を元氣で越して下さい。
桜ら咲く頃には亦、嬉しい簔りも訪れ相な氣が致します。

久■にも宜敷傳へて置いて下さい。弟妹仲良く勉強する様にと。
月一通の便りで出してやれませんから。
又近隣や親類の人々にも御無沙汰お詫びして置いて下さい。
乱筆乍ら擱筆します。呉々も私事は御心配御無用事。御自愛専一の程を希ひます。
敬具
一月十八日

【昭和22年1月18日】

留守家族の皆様

皆様方は私共の留守を守り、私共の帰りを一日千秋の思ひにてお待ちのことと存じます。
私共は半年は雨、半年は旱天(かんてん)で而(しか)も、
マラリヤやアメーバー赤痢の蔓延するこの緬甸(ビルマ)で
四年半の悪戦苦闘からやっと生き延びたと思ふ間もなく終戦。
之に引續き一年有半の連日の苦役は心身共に全く疲労困憊して終いました。
而も後一ケ月もそれはまだこの緬甸に於ては特有の猛雨季が来襲致します。
夜となく昼となく毎日〳〵、雨の降り続く中をビショ濡の労役、
マラリヤの再発、アメーバー赤痢の蔓延等、
私共は昨年の雨季のことを思ひ出した丈で生きた心地は致しません。
今年も亦この疲れきった身体でこの雨季を過ごさなければならぬと知ったときの
私共の絶望的な姿を皆様どうぞ御想像して下さい。
然るに■■■■此の度のニュースで四、五月中に日本船がこの緬甸に廻航になり、
私共の中一万三千者がこれに依って帰還出来ることを知りました。
然しそれでも未だ一万七千もの多数が残り■■。

従って、私共の帰還輸送がこのニュースの通りに確実に実行されるとしても、
六月以降の日本船を以て■■輸送が不明である以上、
■■残される人々は何日帰れるかわからないのであり■■■
七、八月の雨季の最盛期をどうしまいせう。
この身体で、この天幕で、この食糧で、とてもこの雨季は堪へられさうもありません。
若(も)し、この一万七千の人々がこの儘(まま)放置されるとすれば、
この雨季には皆様を狂氣の如く恋ひ慕ひつゝ悲しくも異郷に散って行く
あの哀れな■■者がまた〳〵続出することでありませう。
若し再び雨季の最盛期にこの儘(まま)放置されるとすれば果して生きて帰れるか？
懐しい父母妻子は無事遇う事が出来るか？
私共の誰もがこの差し迫った氣持ちで一杯であります。
皆様、私共をこの環境から救い出し■■
多くの懐かしい皆様の許に無事に帰るには
内地からの迎船の迎航を六月以降に於ても引続き敢行し、
六月中に緬甸(ビルマ)残置将兵全部の復員輸送を完了することより外にはありません。
皆様どうぞこのことを

お父さんもお母さんも兄弟の方々も、お子さんも留守家族一人残らず、
政府、マッカーサー司令部、対日理事会等に歎願して下さい。
皆様の「父を子を夫を緬甸の此の雨季から救出し、私の許に帰せ」
との血の叫びで必ず人々の心を動かし、
それによって、私共の命の綱である迎船が
六月以降も引続き派遣されるようになる事を信じます。
私共は■、この皆様の御努力を励みとしつつぢ(ママ)っと歯をくひしばつて頑張ります。
皆様どうぞ■■■■嘆願して下さい。
昭和二十二年四月三日

緬甸残留兵一同

【昭和22年4月3日】

皆んな元氣に暮らして居る事だろう。

お前の正月に書いた葉書一ケ月程前に受取つた。

家内元氣で正月を送ったとの事。
■■■幾千里、常夏の異郷で■■■正月を送った。
兄さんも安心すると共にうれしく読み致した。

兄も至極元氣で連日の作業に従事して居る。

決して心配無用。■■■と別れて以来早や三ケ年余も経って終った。

未だ小学校へ通って居たお前が立派に成人した事だろう。

弟妹達も大きくなっただろうね。

敏弘も今年は一年生になった■■新学期が始まって、嬉々として登校する姿が見える様だ。

おばあさん■■■■を知り何やらうれし■■■■■■■■■

厚意に■■様にしてくれ。
■■の顔も早やく見たいと思ふ。丸々太って居るとの事。
■■■■お前は一番姉さんだからお転婆は止めて可愛がってやる様に。
兄さんも終戦を告げた当時は、実際言いしれん憤怒と焦燥を感じたものだが、一ヶ年半の虜囚の生活に最早一種の諦観を見出し、焦る事もなくなった。

混沌とした終戦当時の氣持ちから見たら、現在など落着いたもんだ。

どうにもならないんだ。時節がくるまではと運命に甘んじる様になったとも言へる。

亦一時消滅したかに見えた日本人としての矜持をも再び覚醒した。

如何なる時にどんな事が起っても動じない不逞な斗（鬪）魂さへ生じて居る。

そして、敗れたと雖へども日本人だった事を悦(よろこ)びとし、誇にさえ思ふ様になって居る。

之は日本人に帰ったとしても言ふべきだろうか。

兄は現在の吾々が負いつゝある因果と屈辱とを無にはしないだろう。

収容所を修養所たらしめるべく努力して居る。

内地の様子もラヂオや遅れて到着する通知が在り知る事が出来る。

最早、吾々の戦地に居る前の事等は忘れ去って（これは当然かもしれないが）
■■な■■■■を取って居る。
そしてそれが自由な民主■と騒いで居る。

こうした■■に此の上なき憤を感じるのだ。

敗戦の責任は現在残■して居る者達まで負ふべきものではないのだ。

吾民全体がそうだ。日本人の一人残らずが負ふべき性質のものじゃないのか。

お前達は若いのだ。将来の日本の運命は若い者が
■■■ある■■農村こそ汚れざる日本人の血の象像(かたち)なのだ。
■■■■現在の時の■■は良く判る。
此の時期■■■■■■■お前に兄として希望して置く。
足もとを見つめて確実に進歩してくれ。
帰還時期についても内地でも判って居るだろう。
この四、五月中にも、一万三千程が帰る事になっては居るが
兄さん達の番は仲々来ない。順調に運ばれても七、八月になるだろう。
悪くなると亦、正月が危ぶまれ相なのだ。
残る者の一番困るのは、雨季の来る事なのだ。
七、八月になると内地の一年程度の雨が一月程で降ってしまふから
毎日ビッシリぬれたまま作業せなければならないからね。
愚痴は言っても致し方無し。■■心配は不要だ。
兄さんは決して病魔に侵されない自信は持って居るからどんな事があっても、
兄はお前達や懐かしい肉親達の■■■■■■。
それもそう遠い事ではないだろう。最早先は見えて居ると言ってよい。

それ迄は皆んな元氣で仲良く待って居ってね。

おばあさんやお母さんもお前から心配する事のない様に言ひ伝へて置ってくれ。

とかく艱難辛苦するだろうから。まだ二十五だ。■■の収容所では一番若いんだからとね。
■■さんや叔母さん、近所の人々に便りは出してない。
ユリから自由に便りも出せないんだから御無沙汰をお詫びして置いてほしい。
今■■から帰って筆を握って居る。日曜日の午後は賑やかなもんだよ。
もうすぐ夕飯になる。飯を食ったらラヂオでも聞き■■■■■■■来た。
今日はここらで止めよう。若い者は夢と希があるだろうか■■■
健康に留意して勉強を怠らない様に。再会の日を楽しみに

四月六日　　兄より

ユリノ様

【昭和22年4月6日】

拝復

二月二十一日出の便り、今日受取った。皆な相不変ずにとの事安心す。

俺も至極元氣安心せられたい。

次々と復員船が在る様なら、七、八月頃には帰れるかもしれないが、

中断する事があると又、今年中危ぶまれる様な事になるかもしれないが決して心配無用。

毎日の労務は飽なれども、亦、雨季の来襲があるけれ共、

現在の俺等の氣持ちとしては落着いたもんだ。

内地に於ける促進運動の活気なる展開を期待する。

お前の便りを見て、急に青年団の皆様へ申し度くなり、

残余の用紙を持って書いてゐる。裏面に記して置から皆に宜敷く。

家へはユリノ宛てに書いて置いた。家の者に伝えてほしい。

■■■元気で帰るので待って居てくれる様にと。

義一様

祭之友団員各位へ

在郷■■■■御世話に相成り居り■■■■■一通の便りもせなかった点、

如何に状況は悪かったとは言へ、心苦しく思って居ります。

義一よりの便りは御団員も■■■■、益々隆盛なる由、何よりです。

去る三月迄には初午だった想ですね。面白い■点が出来たかしら？

私も常夏のビルマの越年續く。

虜舎の生活からもどうにか生き延て今日になりました。

皆様方との再会の日をたのしみに張切って居ります■■■■■御安心ください。

急変転したこゝ二、三年、皆様にも■■苦悩多かりし事と存じますが、

何んと言っても農村こそ、新国家復興建設の中核たりと言はねばなりません。

聞く所に依ると、床並は未だ一人の外地よりの帰還者なき由、

益々皆様に期待する所大なる■があります。

御朗活達、敗戦と言ふ現実に屈する事なく、努力奮迅して下さい。

作業■■合って近く■■のありません。

乱筆取りとめもなき事■■、残念ですが筆を擱(お)きます。

皆様方の■■■らん事と、奮■■■■再会の一日も速ならん事を祈りつつ。

四月八日　草々

ビルマ ラングーン コカイン 第五三帰国兵第一五一聯隊第三機関銃中隊　森脇久夫

【昭和22年4月8日】

所持品證明書
Certificate for personal belongings
歩兵第百五十一聯隊
151 Inf. Regt.

所持品明細 Details of personal effect

品目 list of articles	官給品 supplied by Jap. army	英軍支給品 supplied by British army	私物品 private belongings	品目 list of articles	官給品 supplied by Jap. army	英軍支給品 supplied by British army	私物品 private belongings
雨覆 cape	—	1	1	編上靴 boots		1	
夏衣 coat	2			短靴 shoes			
夏袴 trousers	2	2		飯盒 Mess tin	1	1	
襦袢 shirts	2	2	1	水筒 water bottol	1		
毛シヤツ woolen shirts				雑嚢 sack	1		
袴下 drawers	2		2	図嚢 satchel			
チヨツキ(ランニング) waist coat		1	1	時計 watches			
腹巻 woolen waistband			1	万年筆 fountain pen			
靴下 socks	3	3	1				
防雨マント rain coat	1						
毛布 blanket	1	1					
蚊帳 mosquito net							
天幕 ground sheet							

上記支給品並ニ私物品ノ外武器兇器藥品貴金屬其他禁制品ヲ所持セザルコトヲ證明ス

Here I certify that arms, weapons medicines precious metals and prohibited articles are not possesed by this person excepting a/m supplied articles and private belongings.

昭和二十二年五月[illegible]日
May 1947

歩兵第百五十一聯隊長代理
Deputy commander of 151 Inf. Regt.
陸軍少佐 西田[illegible]
Major S. Nishida

所持品証明書（昭和22年5月）

郷愁　ビルマ風物詩

於　民伽羅■　昭二一、三、三　ヨリ

収容所内、掲示板等に発表せられし作品中より
載せるものなり

〈僕が帰ったら〉

僕が夢見た
暗い運命の故郷
山も
畠も
荒れ果てゝ
多勢の人は憑かれた様に
只歩き廻っている
老いた母は

½ルピーの軍票

虚ろな眼で遠の所を凝視し
妹は
憂鬱に
恋人は
疲れ切った表情で
僕の帰りを待って居る
僕ひとりの帰りを待ちあぐんで居る
僕はこんなに待って居る
彼女達に
僕は帰って何を与へよう
金もない
地位もない
名誉もない
何もないが、僕には強靭な身体があるぞ
六年間戦争で鍛へた
命があるぞ、みんな元氣を出せ

ノート「郷愁」

僕が皈（かえ）ったら
今迄何処かに潜んでいた小鳥も
飛び出して来て囀るだろう
尾を振るのを忘れたポチ公も
とんで来るぞ
僕は皈るぞ
僕の帰りを待って居る人達の懐の中へ
はち切れる様な体と希望を懐いて
もうすぐ帰って行くぞ
ああ、僕が帰ったら
ああ、僕が皈つたら

※最初の詩のみ抜粋。80ページにわたり、約70篇の詩が書き写されている。

詩集「面影」より

「屈辱の中で運命を共にした人々の詩歌集として　於　JSP CAMP 21.10 HM.」

第三章　お父さんへ

寒い日のことでした。いつものように兄とお風呂に入っているとき、喧嘩をしました。父に怒られ、兄が裸のまま雪の中に放り出されたことを思い出します。中学生の時、寝坊したのかは記憶にありませんが、単車の後ろに乗せてもらい送ってくれました。

（長女　マチ子）

長男久満、長女マチ子、森脇玲子（弟博久の妻）、次女朋子（右から）

保育所に行くのが大嫌いでいつもぐずっていました。

ある日の朝、父に叱られ、納戸に入れられ鍵を掛けられました。

ガタガタガタ。戸を叩いていると、突っ張りで鍵をしてあったのでしょうか。それが外れて、外に出ることができました。父は私が納戸にいないのでびっくりしたそうです。

また、ある日の夜。歯が痛く寝れなくて起きていくと、父はタバコの匂いのする手で虫歯を抜いてくれました。

「あれこわい」。母の口癖が今も聞こえます。

母は、常に掃除や洗濯をするほどきれい好きでした。

面白いことを言ってみんなを笑わせることもありました。

すべてを父に託し、畑仕事に精を出し、野菜作りが大好きな母でした。

父のそばには常に母がいました。


（次女　朋子）

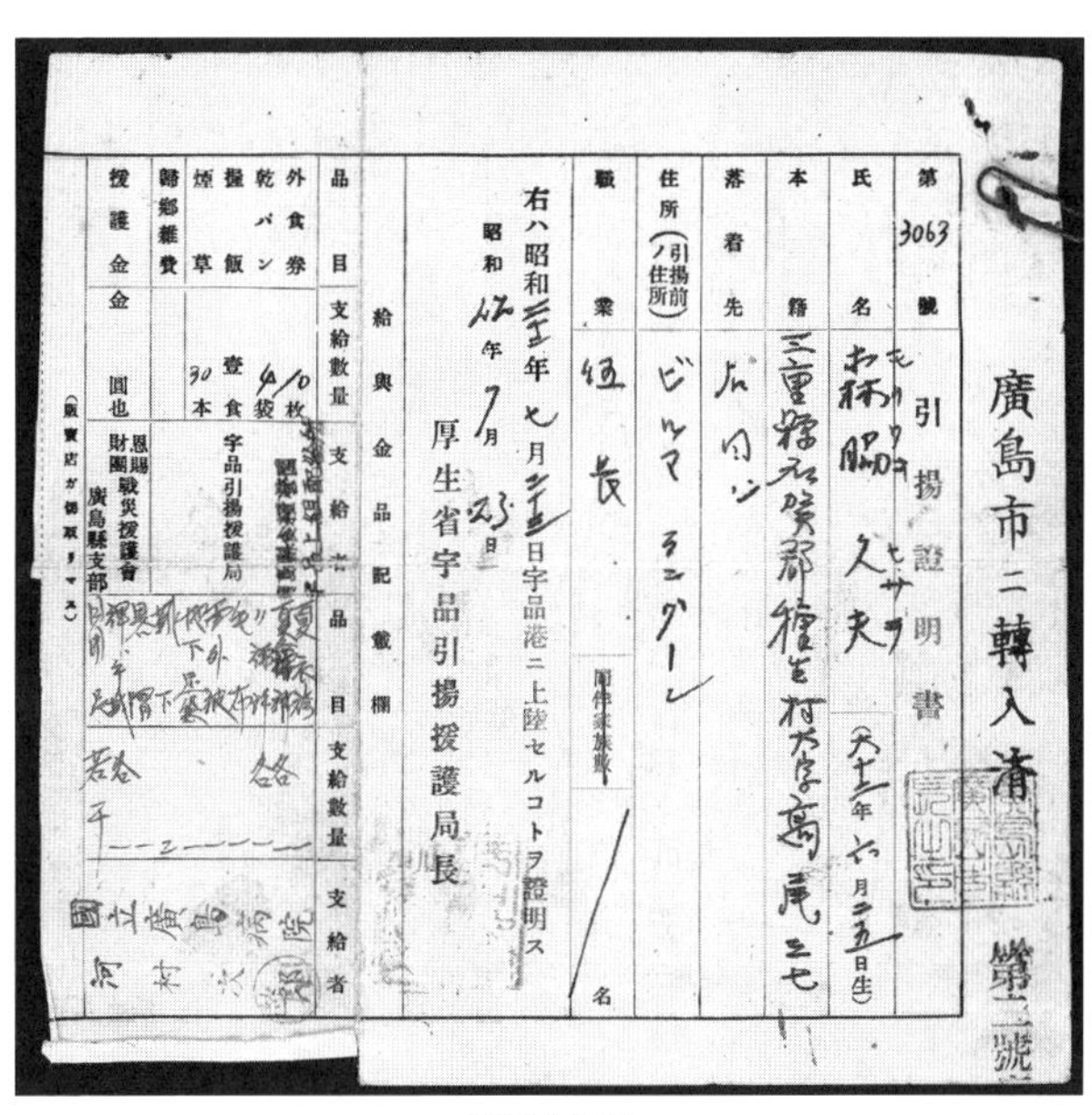

廣島市ニ轉入済　第三號

第 3063 號

引揚證明書

氏名	森脇久夫（大正十一年六月二十五日生）
本籍	三重縣名賀郡種生村大字高尾二七
落着先	右同じ
住所（引揚前ノ住所）	ビルマ　ラングーン
職業	伍長
同伴家族數	名

右ハ昭和二十一年七月二十三日宇品港ニ上陸セルコトヲ證明ス

昭和21年7月23日

厚生省宇品引揚援護局長

給與金品記載欄

品目	支給數量	支給者
外食券	10枚	宇品引揚援護局
乾パン	4袋	
握飯	壹食	
煙草	30本	
歸郷雜費		
援護金	圓也	恩賜財團戰災援護會廣島縣支部

國立廣島病院

引揚証明書

炭を焼いて生計の足しにしていた頃のことだった。

「この炭が売れたら、ケーキを買って来たろう」

そう言って、父が朝から出ていきました。

夕方、ケーキを持って帰ってくれた時は三人で喜びました。

その夜は家族でバターケーキをいただきました。


たくさんのうれしいこと、怒られたことがありました。

家長として、また、父として、偉大な厳格な人でした。
◎常に三人のこどもは同じように教育する（育てる）こと
◎成人するまでは親の責任。成人したら自分の言動・行動には責任を持つこと
と、育ててくれました。

私たちに充分な愛情を注いでくれました。

「それじゃあ、また、来るわ」「おう、また、来て」

いつもの会話でした。


（長男 久満・マチ子・朋子）

賞状を手に笑顔を見せる長男久満（2016 年撮影）

第四章　おじいちゃんへ

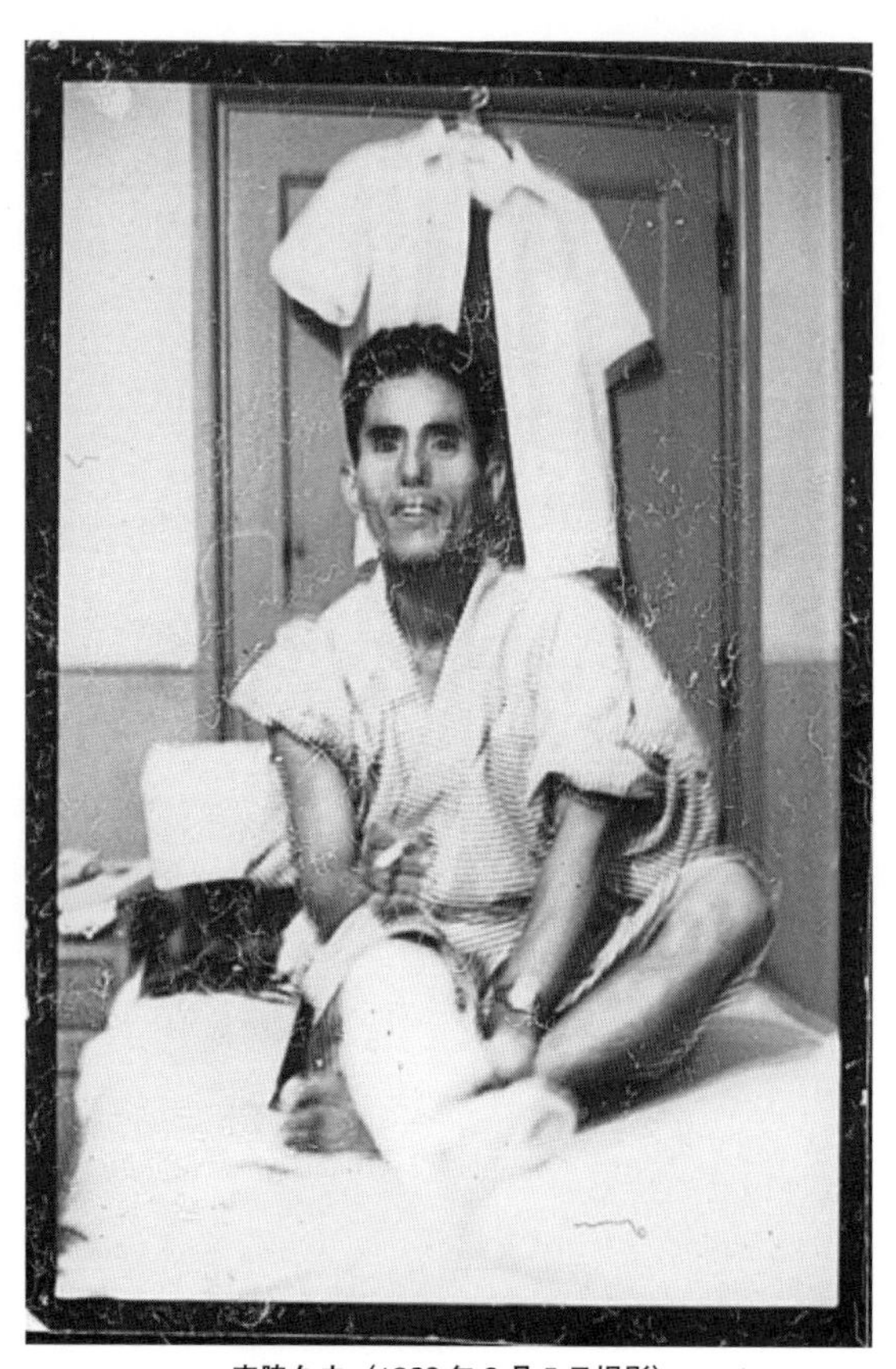

森脇久夫（1963 年 8 月 5 日撮影）

小さい頃、戦争の話をよくしてくれた。毎日、父との晩酌の時にしていたので、ちゃんと聞かずにいたこともあった。今思えば、もっとちゃんと聞いておけばよかった。

おじいちゃんが戦争からかえってきて、家族みんなが当たり前に過ごせた生活は、当たり前じゃなかったかもしれないということを、おじいちゃんが亡くなり、お父さんが亡くなってから思うようになった。

おじいちゃんといえば、屋根つきの単車だった。他では見たことがなかった。たぶん、珍しく有名だった。

戦争で食べ物に困ったからだろう。祝い事はいつも豪勢に祝ってくれた。進学の祝いはいつもとびっきりおいしいものを食べさせてくれた。映画や上野天神祭、両親に連れていってもらったことがないところにたくさん連れて行ってくれた。

家族をこれだけ想うおじいちゃんだったから、ひ孫はすごく可愛がってくれた。幼い子への愛情の深さは、手紙の中にもたくさんあった。

（孫　真紀）

畑に使うものを自分で作り出したり、身の回りのものを快適に使えるように工夫したりしていた。桜が好きだった。桜の季節には花見に行くことを楽しみにしていた。あまり出掛けなくなっても花見には行くと言って出掛けた。

甘茶づる・ヤーコンを作っていて研究熱心だった。物事をよく知っていた。そこの土地のこと、昔のこと。話が好きで、何についても話してくれた。

そんなおじいちゃんが元気で活躍できていたのは、おばあちゃんの存在が大きかったと思う。議員をしている時は、おばあちゃんは前に出ることもなく、畑をして家を守り、お客さんが来たときは快く招いておじいちゃんを立てていた。

けんかするほど仲が良いという。まさしくその通り。口げんかはよくしながらも、おばあちゃんはおじいちゃんのことを思っていた。買い物に行くと、おじいちゃんの物を一番に見ていたり、好みの食べ物を買ったり。おじいちゃんもおばあちゃんを「おば」と呼んでよく話をし、けんかをしても長続きはしなかった。

おばあちゃんの誰とでも話せる朗らかな性格がよかったのであろう。

何だかんだと仲の良いふたりだった。

（孫 千尋）

おじいさんは戦争を体験しているので、軍隊で鍛えられたのか背筋がしゃんとし、実直なところがありました。自分の考えを通す人でした。近寄りがたい存在でした。私は勤めていたので、農業で忙しかったにもかかわらず、孫は可愛がってくれました。

頭がよく物知りで、話し出したら止まらないところがあり、特に戦争体験は人としゃべったやり取りなどを詳しく聞かせてくれました。ほんとうに戦争の話をしだしたら熱が入り、止まりませんでした。こんな貴重な戦争体験を学校かどこかで聞かせてあげればいいのにと思っていました。

（久満の妻　慶子）

久満、慶子、久夫、すみゑ、真紀、千尋（右から）

年表

大正12（1923）年6月25日　森脇久左エ門の長男として生まれる
昭和12（1937）年7月7日　盧溝橋事件
昭和16（1941）年12月8日　真珠湾攻撃
昭和19（1944）年2月10日　歩兵第五十一連隊補充隊第三機関銃中隊入隊
3月22日　歩兵第百五十一連隊に転属、第三機関銃中隊に編入
24日　千種を出発し、南方に派遣
28日　宇品港（現・広島市南区）出港
4月16日　昭南島（シンガポール）上陸
5月5日　泰緬（タイ・ミャンマー）国境通過
ウ号作戦（インパール作戦）と次期態勢移行のための作戦に参加
15日　ビルマ国モールメン市でマラリア発症
10月1日　盤作戦参加
昭和20（1945）年1月11日　「イラワヂ河畔」と「メークテーラー」付近会戦参加

3月27日　ビルマ国南レジャインで立哨中、敵戦車2台の攻撃を受け、右下腿を負傷
　28日　「シャン湖」と「マンダレー」沿線方面克作戦参加
4月13日　「ヤメセン」第二野戦病院入院
5月12日　負傷者も部隊復帰命じられる
6月22日　シッタン作戦に参加
8月14日　大日本帝国、ポツダム宣言受諾
　15日　昭和天皇が国民に終戦を告げる（「玉音放送」）
9月2日　大日本帝国、降伏文書に調印
　20日　「パヤジー」と「ラングーン」地区で英軍作業に従事
10月1日　テラシー収容所に入る
11月8日　ラングーン・アーロン地区日本降伏者収容所に収容される
昭和21（1946）年8月18日　アーロン収容所よりコカインキャンプに移動
昭和22（1947）年2月　コカインキャンプ内病院入院
　負傷箇所化膿により掻爬（そうは）手術（2回）
7月7日　ラングーン港出港

23日　宇品港上陸、直ちに国立廣島病院に入院
病名　戦傷後遺症
30日　国立廣島病院より国立津病院に転院。直後に榊原病院転院
9月29日　国立津病院退院後、自宅療養
昭和23（1948）年11月4日　福山すみゑと結婚
昭和24（1949）年8月9日　長男・久満誕生
昭和27（1952）年1月20日　長女・マチ子誕生
昭和31（1956）年10月28日　次女・朋子誕生
昭和58（1983）年4月　青山町議会議員選挙で初当選
昭和62（1987）年4月　青山町議会議員選挙で2期目当選
平成元（1989）年4月　青山町議辞職
平成31（2019）年1月14日　永眠

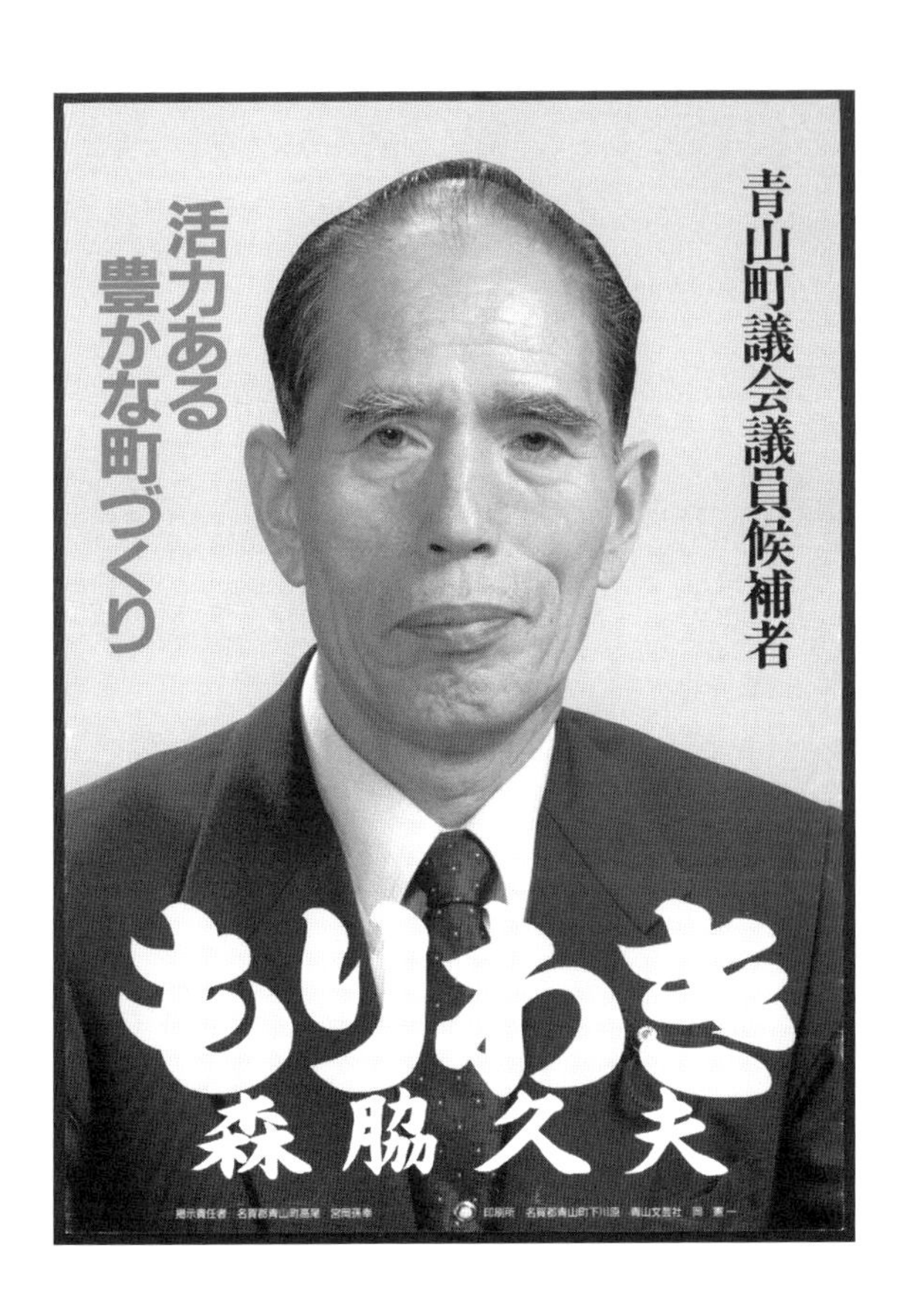
青山町議会議員候補者
活力ある
豊かな町づくり
もりわき
森脇久夫

あとがき――父を想う

父が息を引き取る前夜、最後の会話をした。会話といっても、何を話しているのか私には解らなく、何かを訴えているように思えたが、「また来るから」と言って別れた。兄の久満（久夫の長男）が食道がんに罹り闘病中で、入院や治療方法について相談があるということで森脇家を訪れていた。後から思うと父は兄のことを聞きたかったのだろうか。何かを私に頼みたかったのだろうか。翌々日の早朝に父は息を引き取った。

父は、私とお酒を飲み、話をすると「だいたい今の若いものは」と話を始めた。

戦時中、戦地で様々な苦労をし、高尾に残した家族を思って過ごした経験からだろうか、「今の若いものは、苦労の経験もせず、自由を主張するのはどうや」と私に語っていた。

兄は、父が残していた、戦地から故郷を想い、家族に宛てた手紙を何らかの形で残せないかと考えており、その手紙を本にすることにした。それが、この本である。兄は、父の一周忌に親戚やお世話になった方々にこの本を渡せることを望んでいた。

しかし、その思いは果たせず、２０２０年3月11日に他界した。

兄は、父の故郷を大切にする気持ちを引き継ぎ、地域のために尽くし、亡くなる直前まで藤原千方伝承やお寺の役員など地域の活動を続けた。

兄がこの本を手にすることはできないが、父の思い、兄の思いをみんなに伝えることができるのでは。この本を見ていただき、父や兄のことを思い出していただければ幸いです。

平和で家族が幸せに暮らせる世の中が続くことを願いながら、父、母、兄、三人仲良く天国で農業をしながら話をしていることでしょう。

私たちは、父と兄の思いを引き継ぎます。

杣谷尚彦（久夫の次女・朋子の夫）

故郷を想ふ

二〇二一年二月十三日　第一刷発行

著　者　森脇久夫
編　者　家族一同
発行者　向原祥隆
発行所　株式会社　南方新社
〒八九二—〇八七三
鹿児島市下田町二九二—一
電話　〇九九—二四八—五四五五
URL http://www.nanpou.com/
e-mail info@nanpou.com

印刷・製本　株式会社イースト朝日
ISBN978-4-86124-990-7　C0095